★ 适合6至7岁 ★

春天的歌

CHUNTIAN DE GE

主编 张 丽

编 委 会

总主编 崔 峦

主　编 张 丽

编　委

刘 珂　马学军　刘冰冰　宋道晔　靳 会

丁立美　张 丽　李香菊

编写人员

丁立美　刘景平　马清芹　郭红艳　王 凤

刘凤华　马学军　刘 欣

广泛阅读，可以提高阅读理解力；

广泛阅读，可以丰富知识，开阔视野；

广泛阅读，可以提升思维力、鉴赏力；

广泛阅读，可以促进人的精神成长。

新编的读本，包括古诗文经典诵读、优秀作品专题阅读和整本书阅读，是落实课内外阅读一体化的优质资源。

捧起这套读本读起来，你会越来越享受阅读，你的一生一定会因为阅读而精彩！

崔峦

用阅读滋养你的心灵，
让你变得聪明善良，胸怀宽广，更富想象力和创造力。

沈石溪

发现美，学会爱，表达自己，
在阅读和写作中不断进步！

王一梅

致亲爱的小读者：

童年是一本打开的书，有多少秘密在等待你。不要问我：将来会怎样？我的梦想在哪里？世界很小又很大，每一本书都是一个小小阶梯。

徐鲁

为自己读书
为美好读书

肖复兴
庚子岁末

读经典的书
做优秀的人

[illegible]

阅读是一种智慧。

[illegible]

目录

经典诵读

专题阅读一

范文阅读

自由阅读

专题阅读三

范文阅读

组文阅读

专题阅读四

范文阅读

自由阅读

专题阅读五

整本书阅读

经典诵读

wǒ men yǐ jīng bèi guo hǎo duō gǔ shī
我们已经背过好多古诗
le shī zhōng yǒu jǐng yě yǒu qíng yǒu shī rén
了！诗中有景也有情，有诗人
de huān lè yě yǒu dàn dàn de yōu shāng
的欢乐，也有淡淡的忧伤……

ràng wǒ men lǎng dú xià miàn de gǔ shī
让我们朗读下面的古诗，
xīn shǎng shī zhōng de měi jǐng gǎn shòu shī rén
欣赏诗中的美景，感受诗人
duì zì yóu de xiàng wǎng duì yǒu rén de sī
对自由的向往、对友人的思
niàn duì měi hǎo shì wù de liú liàn zài
念、对美好事物的留恋……再
dú du sān zì jīng jié xuǎn shēng lǜ
读读《三字经（节选）》《声律
qǐ méng jié xuǎn jī lěi yǔ yán
启蒙（节选）》，积累语言。

扫码收听朗诵音频

xiāng sī
相思

táng wáng wéi
[唐]王维

hóng dòu shēng nán guó
红豆生南国，

chūn lái fā jǐ zhī
春来发几枝？

yuàn jūn duō cǎi xié
愿君多采撷，

cǐ wù zuì xiāng sī
此物最相思。

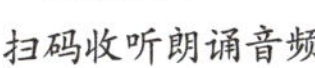

tiān yá
天 涯

táng lǐ shāng yǐn
［唐］李商隐

chūn rì zài tiān yá
春日在天涯，

tiān yá rì yòu xié
天涯日又斜。

yīng tí rú yǒu lèi
莺啼如有泪，

wèi shī zuì gāo huā
为湿最高花。

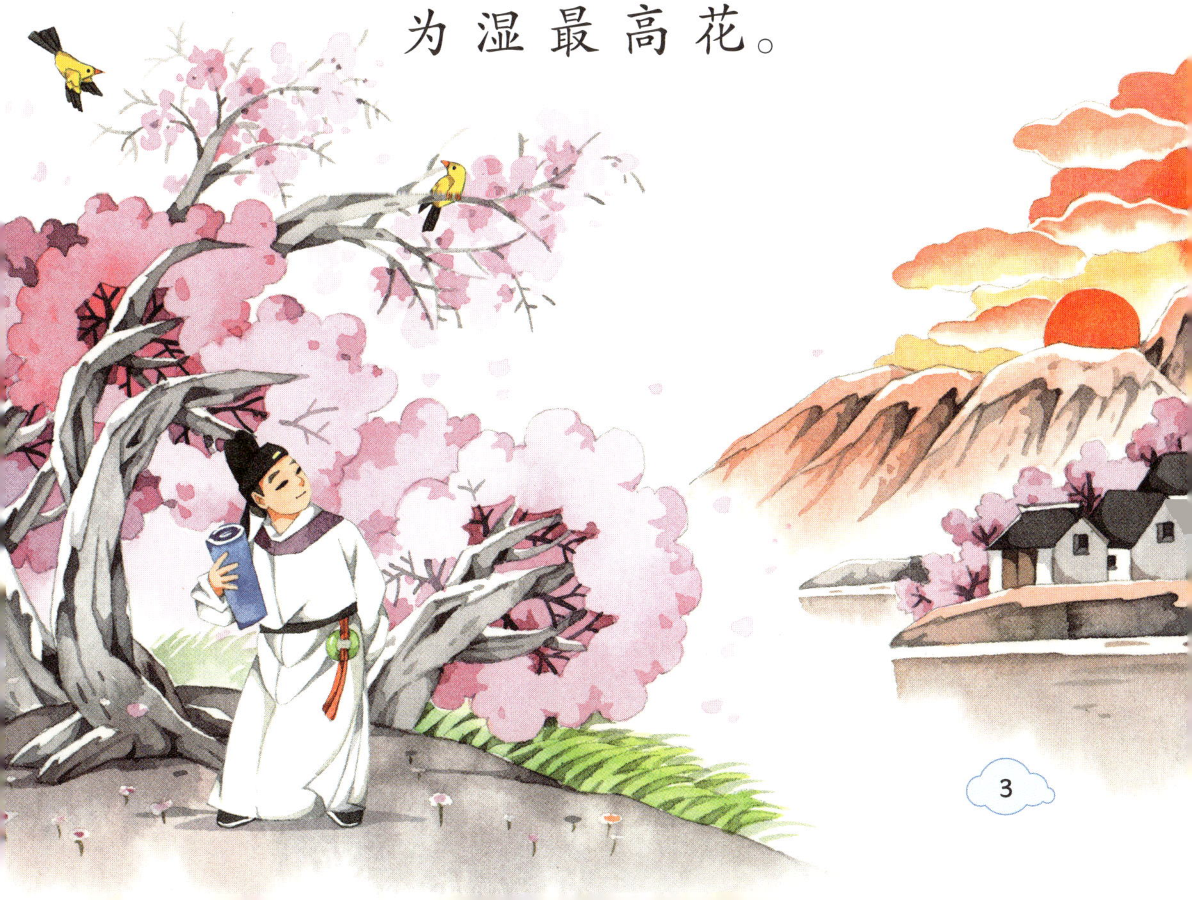

扫码收听朗诵音频

cí wū yè tí jié xuǎn
慈乌夜啼（节选）

táng bái jū yì
［唐］白居易

cí wū shī qí mǔ
慈乌失其母，

yā yā tǔ āi yīn
哑哑吐哀音。

zhòu yè bù fēi qù
昼夜不飞去，

jīng nián shǒu gù lín
经年守故林。

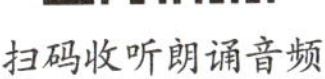

huà méi niǎo
画眉鸟

sòng ōu yáng xiū
[宋]欧阳修

bǎi zhuàn qiān shēng suí yì yí
百啭千声随意移，

shān huā hóng zǐ shù gāo dī
山花红紫树高低。

shǐ zhī suǒ xiàng jīn lóng tīng
始知锁向金笼听，

bù jí lín jiān zì zài tí
不及林间自在啼。

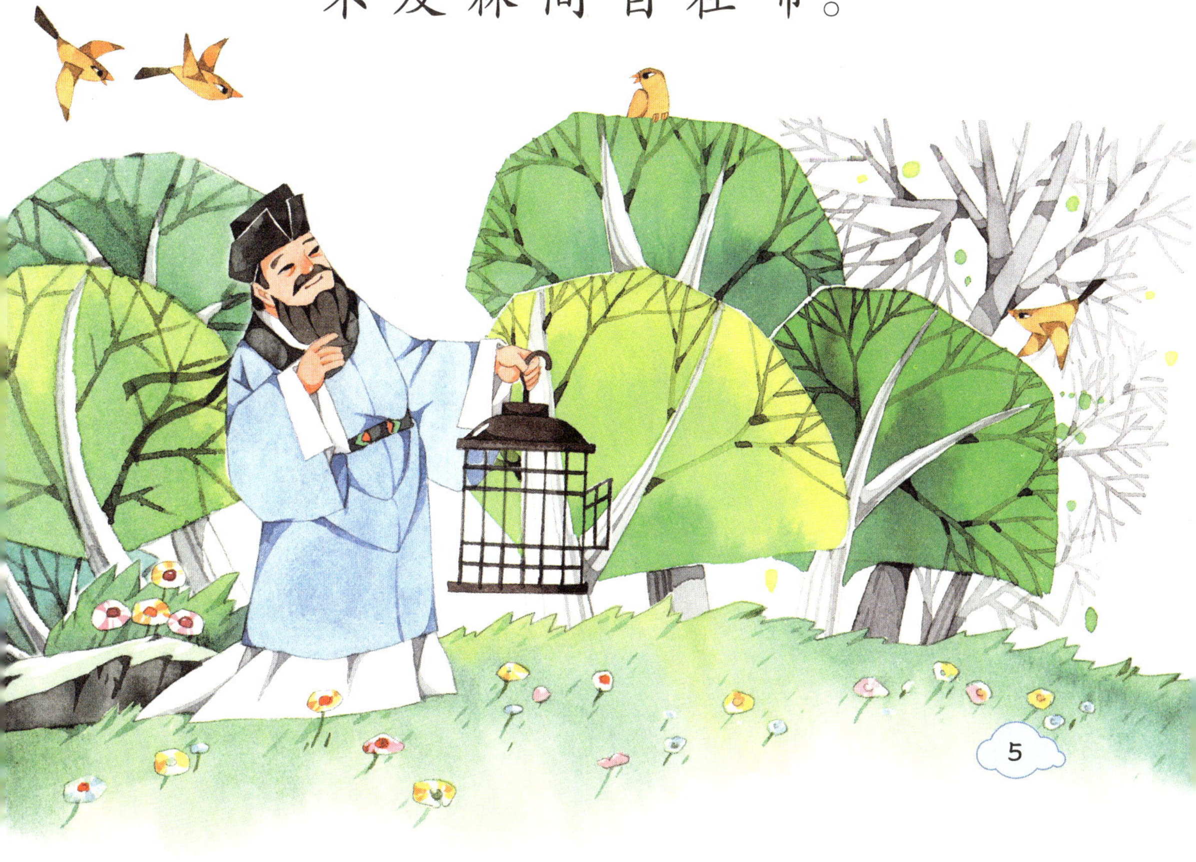

扫码收听朗诵音频

sān zì jīng jié xuǎn

5 三字经（节选）

lún yǔ zhě èr shí piān

《论语》者，二十篇，

qún dì zǐ jì shàn yán

群弟子，记善言。

mèng zǐ zhě qī piān zhǐ

《孟子》者，七篇止，

jiǎng dào dé shuō rén yì

讲道德，说仁义。

扫码收听朗诵音频

6 声律启蒙（节选）
shēng lǜ qǐ méng jié xuǎn

[清]车万育
qīng chē wàn yù

lái duì wǎng
来对往，

mì duì xī
密对稀，

yàn wǔ duì yīng fēi
燕舞对莺飞。

fēng qīng duì yuè lǎng
风清对月朗，

lù zhòng duì yān wēi
露重对烟微。

qù wèi shí zì

趣味识字

hàn zì yǒu yōu jiǔ de lì shǐ yǔ qí tā wén zì xiāng bǐ hàn zì yǒu zì jǐ de tè diǎn yí gè hàn zì jiù shì yì fú huà yì shǒu shī yí gè gù shi

汉字有悠久的历史，与其他文字相比，汉字有自己的特点，一个汉字就是一幅画、一首诗、一个故事……

hàn zì hěn měi yě hěn shén qí jiè zhù tóng yí gè piān páng kě yǐ rèn shi yí lèi zì yòng duì duì zi de xíng shì yě néng bāng wǒ men shí jì gèng duō shēng zì wǒ men yì qǐ dú yi dú xià miàn de ér gē hé gǔ wén jié xuǎn ba

汉字很美，也很神奇。借助同一个偏旁可以认识一类字，用对对子的形式也能帮我们识记更多生字。我们一起读一读下面的儿歌和古文节选吧！

1 木字旁

mù zì páng

yǐn shì lín
尹世霖

mù zì páng, hǎo fēng guāng,
木字旁，好风光，

qīng qīng yáng liǔ yì háng háng.
青青杨柳一行行。

guǒ shù lín, huā guǒ xiāng,
果树林，花果香，

cǎi xià xiān guǒ zhòng rén cháng.
采下鲜果众人尝。

táo zi jú zi dà yā lí
桃子、橘子、大鸭梨，

yīng tao shì zi zǐ lǐ zi
樱桃、柿子、紫李子。

hái yǒu yáng méi tián lì zhī
还有杨梅、甜荔枝，

shuǐ guǒ fēn gěi dà jiā chī
水果分给大家吃。

wǒ yào quān chū wén zhōng dài mù zì
我要圈出文中带木字

páng de zì cāi cai tā men de yì si
旁的字，猜猜它们的意思！

2 动物园

dòng wù yuán

丁丁

dīng dīng

dòng wù yuán lǐ zhēn rè nao
动物园里真热闹，

huáng lí tiān shàng fēi de gāo
黄鹂天上飞得高，

xǐ què zhī tóu zhā zhā jiào
喜鹊枝头喳喳叫，

xiǎo jī cǎo dì zài mì shí
小鸡草地在觅食，

bái é hé biān jìng jìng lì
白鹅河边静静立，

yā zi shuǐ zhōng yóu de huān
鸭子水中游得欢，

gē zi yán xià qiāo qiāo zhàn
鸽子檐下悄悄站。

wǒ yào quān chū dòng wù yuán lǐ yǒu shén me, kàn kan yǒu méi yǒu xīn de fā xiàn
我要圈出动物园里有什么，看看有没有新的发现！

3 反义词儿歌
fǎn yì cí ér gē

liú lì lì
刘丽丽

fāng duì yuán
方对圆，

lǐ duì wài
里对外，

qǐ duì luò
起对落，

yǒu duì wú
有对无，

huǒ rè duì bīng lěng
火热对冰冷，

guāng míng duì hēi àn
光明对黑暗。

shèng duì bài
胜对败，

jìn duì tuì
进对退，

yōu duì liè
优对劣，

qiáng duì ruò
强对弱，

qín láo duì lǎn duò
勤劳对懒惰，

yú chǔn duì cōng míng
愚蠢对聪明。

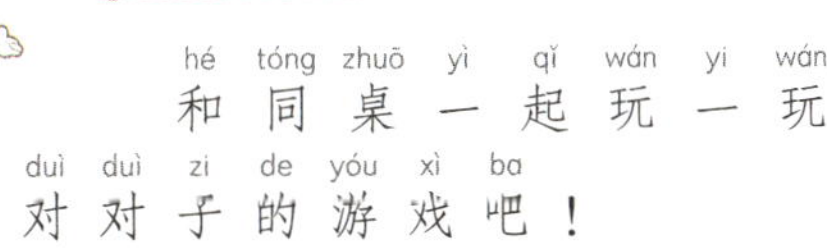

4 我有一双勤劳的手

wǒ yǒu yì shuāng qín láo de shǒu

sòng yán
宋岩

tí shǒu páng, dòng zuò duō,
提手旁，动作多，

cáng zài rì cháng shēng huó zhōng.
藏在日常生活中。

bān yǐ zi, bǎi wǎn kuài,
搬椅子，摆碗筷，

fú zhe nǎi nai lái chī fàn.
扶着奶奶来吃饭。

chī wán fàn, wǒ shōu shi,
吃完饭，我收拾，

rēng lā jī, cā zhuō zi,
扔垃圾，擦桌子，

mā ma xǐ wǎn wǒ sǎo dì
妈妈洗碗我扫地，
tí shuǐ tǒng tuō dì bǎn
提水桶，拖地板。
yé ye mō mo wǒ de tóu
爷爷摸摸我的头，
bà ba bǎ wǒ bào yi bào
爸爸把我抱一抱。
kuā wǒ xiǎo shǒu hǎo qín láo
夸我小手好勤劳，
wǒ hài xiū de yáo yao shǒu
我害羞地摇摇手。

wǒ yào yì biān dú yì biān quān chū dài yǒu tí shǒu páng de zì, hé tóng xué jiāo liú yí xià: wǒ men de xiǎo shǒu hái néng zuò nǎ xiē shì?
我要一边读一边圈出带有提手旁的字，和同学交流一下：我们的小手还能做哪些事？

5 笠翁对韵（节选）

lì wēng duì yùn jié xuǎn

[清] 李渔

qīng lǐ yú

qīng duì dàn
清对淡，
bó duì nóng
薄对浓，
mù gǔ duì chén zhōng
暮鼓对晨钟。
shān chá duì shí jú
山茶对石菊，
yān suǒ duì yún fēng
烟锁对云封。
jīn hàn dàn
金菡萏，
yù fú róng
玉芙蓉，
lǜ qǐ duì qīng fēng
绿绮对青锋。

yùn dòng huì
6 运动会

sòng hóng
宋红

cǎo zhǎng yīng fēi chūn lái dào
草长莺飞春来到，
niǎo yǔ huā xiāng tiān qíng hǎo
鸟语花香天晴好。
yùn dòng chǎng shàng qí jù huì
运动场上齐聚会，
shēng lóng huó hǔ zhēn rè nao
生龙活虎真热闹。

chángpǎo bǐ sài pīn nài lì
长跑比赛拼耐力，
yì mǎ dāng xiān hěn zhòng yào
一马当先很重要，
zàn shí luò hòu bié qì něi
暂时落后别气馁，
kuài mǎ jiā biān xiàng qián pǎo
快马加鞭向前跑。
tiào gāo bǐ sài zhàn shí lì
跳高比赛战实力，
niú dāo xiǎo shì qì shì gāo
牛刀小试气势高，
yā què wú shēng děng qǐ pǎo
鸦雀无声等起跑，
mǎ dào chéng gōng pò jì lù
马到成功破纪录。
huān bèng luàn tiào hù jiā yóu
欢蹦乱跳互加油，
lóng téng hǔ yuè qí huān xiào
龙腾虎跃齐欢笑。

wǒ yǐ hòu yào duō duàn liàn zhēng qǔ zài yùn dòng huì shàng qǔ dé gèng hǎo de chéng jì
我以后要多锻炼，争取在运动会上取得更好的成绩！

7 三字经（节选）

sān zì jīng jié xuǎn

xī zhòng ní shī xiàng tuó
昔仲尼，师项橐，

gǔ shèng xián shàng qín xué
古圣贤，尚勤学。

zhào zhōng lìng dú lǔ lún
赵中令，读鲁论，

bǐ jì shì xué qiě qín
彼既仕，学且勤。

pī pú biān xiāo zhú jiǎn
披蒲编，削竹简，

bǐ wú shū qiě zhī miǎn
彼无书，且知勉。

tóu xuán liáng zhuī cì gǔ
头悬梁，锥刺股，

bǐ bú jiào zì qín kǔ
彼不教，自勤苦。

rú náng yíng　rú yìng xuě
如囊萤，如映雪，

jiā suī pín　xué bú chuò
家虽贫，学不辍。

rú fù xīn　rú guà jiǎo
如负薪，如挂角，

shēn suī láo　yóu kǔ zhuó
身虽劳，犹苦卓。

hóng lǐng jīn　dào xué xiào
红领巾，到学校，

rén rén kuā　yǒu lǐ mào
人人夸，有礼貌，

jiàn shī zhǎng　jiù wèn hǎo
见师长，就问好，

tóng xué jiān　bù dǎ nào
同学间，不打闹。

líng shēng xiǎng　jí zuò hǎo
铃声响，即坐好，

rèn zhēn tīng　qín sī kǎo
认真听，勤思考，

hù bāng zhù　shǎo bù liǎo
互帮助，少不了，

xué fāng fǎ　jiě tí miào
学方法，解题妙。

1 足字真有趣

刘景平

zú zì zhēn yǒu qù
足字真有趣，
hé bāo yì qǐ pǎo
和包一起跑，
hé zhào yí kuàir tiào
和兆一块儿跳，
jiàn bā tā jiù pā
见八它就趴，
shī zú jiù diē dǎo
失足就跌倒。
nǐ yào wèn tā hái gàn shá
你要问它还干啥？
tī tà cǎi kuà néng zuò dào
踢踏踩跨能做到，
wǔ dǎo shuāi jiāo yàng yàng hǎo
舞蹈摔跤样样好。

wǒ hái zhī dào yì xiē zì yě dài yǒu zú zì páng
我还知道一些字也带有足字旁：跃、跺、趾……

2 蒲公英

pú gōng yīng

zhāng qiū shēng

张秋生

yì kē pú gōng yīng

一棵蒲公英，

yì qún xiǎo sǎn bīng

一群小伞兵，

fēng ér chuī piāo wa piāo

风儿吹，飘哇飘，

yí luò luò zài qīng cǎo píng

一落落在青草坪。

yáng guāng zhào yǔ shuǐ lín

阳光照，雨水淋，

zhǎng chū yí piàn pú gōng yīng

长出一片蒲公英。

3 植树谣

zhí shù yáo

ōu chéng cái
欧澄裁

nǐ zāi yì kē liǔ
你栽一棵柳，
wǒ zāi yì kē yáng
我栽一棵杨，
dà jiā lái zhí shù
大家来植树，
shù mù pái chéng háng
树木排成行。
shān jiǎo dào shān dǐng
山脚到山顶，
xiǎo hé dào cūn zhuāng
小河到村庄，
lǜ yún pū chéng gài
绿云铺成盖，
jiā xiāng gèng piào liang
家乡更漂亮。

rèn shi dài yǒu mù zì páng de zì bìng quān chū lái, hé tóng xué fēn xiǎng yí xià ba
认识带有木字旁的字并圈出来，和同学分享一下吧！

4 一只小小口

王荣飞

有时变“叶”子，
有时回“古”代。
有时“吞”下去，
有时“吐”出来。
有时“吵吵”嘴，
有时“吃吃”菜。
一只小小口，
变得真是快。

这样识字真有意思！我还能再说一些带有口字旁的字呢！

xià tiān zhēn měi

夏天真美

xià tiān shì gè měi lì de jì jié
夏天是个美丽的季节。
nǐ qiáo chí táng lǐ yuán yuán de hé yè
你瞧，池塘里圆圆的荷叶
shì qīng wā de shuì chuáng fēi wǔ de qīng
是青蛙的睡床，飞舞的蜻
tíng hé huān kuài de yú ér zài yǔ hòu xī
蜓和欢快的鱼儿在雨后嬉
xì cǎi lián de xiǎo gū niang zài zhe yì
戏，采莲的小姑娘载着一
chuán xiào shēng huá xiàng àn biān
船笑声划向岸边……

xià tiān yě shì chōng mǎn lè qù de
夏天也是充满乐趣的
jì jié dú yi dú ér gē hé gù shi
季节。读一读儿歌和故事，
jī lěi yì xiē hǎo cí jiā jù ba
积累一些好词佳句吧。

范文阅读

1 野池

yě chí

tánɡ wánɡ jiàn
［唐］王建

yě chí shuǐ mǎn lián qiū dī
野池水满连秋堤，

línɡ huā jiē shí pú yè qí
菱花结实蒲叶齐。

chuān kǒu yǔ qínɡ fēnɡ fù zhǐ
川口雨晴风复止，

qīnɡ tínɡ shànɡ xià yú dōnɡ xī
蜻蜓上下鱼东西。

wǒ yào xiǎnɡ xiànɡ zhe huà miàn, bǎ zhè shǒu shī bèi yi bèi!
我要想象着画面，把这首诗背一背！

2 青蛙跳到荷叶上

qīng wā tiào dào hé yè shàng

sì píng
四 平

hé yè yuán yuán zhēn kuān chǎng
荷叶圆圆真宽敞，

hǎo xiàng yì zhāng dà shuì chuáng
好像一张大睡床。

qīng wā tiào dào hé yè shàng
青蛙跳到荷叶上，

hū lū hū lū shuì de xiāng
呼噜呼噜睡得香。

zhè yàng de jù zi zhēn yǒu yì si, wǒ yě xué zhe shuō yi shuō
这样的句子真有意思，我也学着说一说！

fēng chuī hé yè yáo wa yáo
风吹荷叶摇哇摇，

qīng wā pū tōng gǔn xià chuáng
青蛙扑通滚下床。

gū dū dū āi yā yā
咕嘟嘟，哎呀呀，

shì shuí tuī wǒ xià chí táng
是谁推我下池塘？

cǎi lián de xiǎo gū niang

3 采莲的小姑娘

lǐ shào bái

李少白

tiān lán lán shuǐ lán lán lán sè de hú

天蓝蓝，水蓝蓝，蓝色的湖

miàn piāo lái yì zhī zhī yuè yár xiǎo chuán

面，漂来一只只月牙儿小船。

cháng cháng de zhú gāo diǎn pò shuǐ zhōng de yún

长长的竹篙，点破水中的云

tiān tián měi de gē shēng jīng fēi zhèng zài xiǎo

天；甜美的歌声，惊飞正在小

qì de dà yàn

憩的大雁。

tiān xiàng shuǐ yí yàng rén yě xiàng shuǐ yì

天像水一样，人也像水一

bān kàn nà chuán shàng de xiǎo gū niang duǎn xiù

般。看那船上的小姑娘，短袖

zhuāng yáng jiǎo biàn shuǐ líng líng de yǎn jing shuǐ

装，羊角辫，水灵灵的眼睛，水

líng líng de shēng yīn

灵灵的声音。

hé yè yuán yuán lián peng yuán yuán yì
荷叶圆圆，莲蓬圆圆，一
shuāng shuāng nèn ǒu bān de shǒu qǐ wǔ piān piān
双双嫩藕般的手，起舞翩翩。
zhèn zhèn hú fēng chuī lái bǎ tā men de gē shēng
阵阵湖风吹来，把她们的歌声
piāo de hěn yuǎn hěn yuǎn bǎ nà hú shuǐ rǎn
飘得很远，很远，把那湖水染

de hěn tián hěn tián
得很甜，很甜。

cǎi ya cǎi cǎi ya cǎi lián peng shì
采呀采，采呀采，莲蓬是
hú shuǐ yùn yù de bǎo bèi lǐ miàn yǒu zhe shuǐ
湖水孕育的宝贝，里面有着水
xiāng de qīng chún hé xiāng tián cǎi ya cǎi cǎi
乡的清醇和香甜。采呀采，采
ya cǎi lián peng lǐ cáng zhe zhēn zhū guǒ lián
呀采，莲蓬里藏着珍珠果，莲
peng lǐ cáng zhe fēng shōu nián
蓬里藏着丰收年。

xiǎo chuán mǎn le zài zhe yì chuán xiào
小船满了，载着一船笑
shēng yì chuán lǜ xiàng nà mào zhe chuī yān de àn
声一船绿，向那冒着炊烟的岸
biān shǐ qù liú xià yì
边驶去，留下一
hú wǎn xiá yì hú jīn
湖晚霞一湖金，
zài hú miàn dàng yàng
在湖面荡漾……

zhè ge zì rán duàn
这个自然段
xiě de zhēn měi a wǒ
写得真美啊！我
yào duō dú jǐ biàn
要多读几遍！

4 下雨了吗

巩孺萍

“下雨了吗？”青蛙问。

不，是老鼠在喝水！

“下雨了吗？”老鼠问。

不，是兔子在洗脸！

“下雨了吗？”兔子问。

不，是獾在晾衣服！

“下雨了吗？”獾问。

不，是大象在浇花！

xià yǔ le ma dà xiàng wèn
“下雨了吗？”大象问。

bù shì cháng jǐng lù zài chī guǒ zi
不，是长颈鹿在吃果子！

xià yǔ le ma cháng jǐng lù wèn
“下雨了吗？”长颈鹿问……

xià yǔ le
下雨了！

5 下雨的时候

滕毓旭

乌云翻卷着，整个天空像罩上黑幕，遮住蓝天，遮住太阳，看不到半点光亮。不一会儿，云层便发出耀眼的闪电，响起“隆隆”的雷声。

“闪电来了，雷响了，天上大雨要下了！”小朋友拍着手儿喊。

不久，雨婆婆果真坐着

mǎ chē lái le qián miàn shì shǎn diàn kāi lù
马车来了。前面是闪电开路，
léi shēng rú léi gǔ hòu miàn shì fēng zài nà
雷声如擂鼓，后面是风在呐
hǎn tà tà tà hǎo yí gè shēng shì
喊——“踏踏踏”，好一个声势
hào dà de qì pò
浩大的气魄！

qí shí zuì xiān zhī dào yǔ pó po dào
其实，最先知道雨婆婆到
lái de shì nà xiē kě ài de yàn zi yàn
来的，是那些可爱的燕子。“燕

zi fēi de dī lǎo tiān yào xià yǔ yí dào
子飞得低，老天要下雨。”一到
zhè shí hou kōng qì lǐ biàn mí màn zhe zhòng zhòng
这时候，空气里便弥漫着重重
de shī qì chóng ér men dōu fēi de hěn dī
的湿气，虫儿们都飞得很低，
ér zuì ài chī chóng ér de yàn zi zì rán yě
而最爱吃虫儿的燕子，自然也
fēi de hěn dī
飞得很低。

zhī dào yǔ pó po yào lái de hái yǒu
知道雨婆婆要来的，还有
mǎ yǐ mǎ yǐ bān jiā dà yǔ huā huā
蚂蚁。“蚂蚁搬家，大雨哗哗。”

yīn wèi dà yǔ dào lái qián kōng qì de shī dù
因为大雨到来前，空气的湿度
jiào gāo gǎn jué líng mǐn de mǎ yǐ dōu zhēng
较高，感觉灵敏的蚂蚁，都争
zhe bān jiā dào gāo chù
着搬家到高处。

hái yǒu nà xiē shé há ma wō niú qiū
还有那些蛇、蛤蟆、蜗牛、蚯
yǐn yě dōu shì tiān qì yù bào zhuān jiā
蚓……也都是天气预报“专家”！

dà shé chū dòng dà yǔ dōng dōng
“大蛇出洞，大雨咚咚。”
nà shì yīn wèi yǔ qián kōng qì tài shī mēn
那是因为雨前空气太湿、闷
rè shé zài dòng lǐ dāi bú zhù
热，蛇在洞里待不住。

qīng wā jiào guā guā dà yǔ piáo pō
“青蛙叫呱呱，大雨瓢泼
xià nà shì yīn wèi qīng wā de pí fū jí
下！”那是因为青蛙的皮肤及
qì guān duì tiān qì biàn huà tè bié mǐn gǎn fēng
器官对天气变化特别敏感，风
yǔ lái lín shí tā men jiù jí tǐ míng jiào
雨来临时，它们就集体鸣叫。

yí jiàn dào zhè xiē zhēng zhào niǎo ér
一见到这些征兆，鸟儿
men biàn huì fēi jìn lín lǐ duǒ qǐ lái xiǎo māo
们便会飞进林里躲起来，小猫
jiù huì tiào dào kàng shàng pā qǐ lái xiǎo jī
就会跳到炕上趴起来，小鸡
jiù huì táo huí wō lǐ cáng qǐ lái ér nà xiē
就会逃回窝里藏起来。而那些
tián lǐ xiǎo miáo shān shàng huā cǎo lín lǐ shù
田里小苗、山上花草、林里树
mù què lè de shǒu wǔ zú dǎo tā men diǎn
木，却乐得手舞足蹈。它们踮
qǐ jiǎo ér shēn zhe gē bo pāi zhe xiǎo shǒu
起脚儿，伸着胳膊，拍着小手，
zhāng zhe zuǐ ér zài huān yíng yǔ pó po de
张着嘴儿，在欢迎雨婆婆的
dào lái
到来。

lì jīng cháng tú bá shè de yǔ pó po
历经长途跋涉的雨婆婆，
zhōng yú jiàng lín le yú shì tiān hé dì lì
终于降临了。于是，天和地立
kè zòu qǐ léi yǔ yǔ de jiāo xiǎng qǔ
刻奏起“雷与雨”的交响曲，

qiān wàn gēn yǔ sī zài fēng zhōng wǔ dòng wèi dà
千万根雨丝在风中舞动，为大
dì zhī chū méng méng de yǔ mù
地织出蒙蒙的雨幕。

shān yě liú tǎng de xiǎo hé zhè shí
山野流淌的小河，这时
gé wài huān chàng qǐ lái yǔ pó po sǎ xià
格外欢畅起来。雨婆婆撒下
de yín xiàn biàn chéng wú shù gè pào pao xiàng
的银线变成无数个泡泡，像
yí chuàn chuàn yín zhū guà zài xiǎo hé de bó zi
一串串银珠挂在小河的脖子
shàng dòu de yú ér yě fēn fēn yuè chū shuǐ
上，逗得鱼儿也纷纷跃出水
miàn bǎ hé lǐ de pào pàor dàng chéng yú
面，把河里的泡泡儿，当成鱼
shí qù zhuī
食去追！

dà yǔ pī li pā lā xiǎo hé
大雨“噼里啪啦”，小河
dīng dīng dōng dōng qīng wā guā guā guā
“叮叮咚咚”，青蛙“呱呱呱
guā tā men yì qí chàng xiǎng yǔ zhōng de
呱”，它们一齐唱响雨中的

kuài lè
快乐。

zhè shì xià yǔ de shí hou dà dì bèi
这是下雨的时候，大地被
zī rùn de sū ruǎn shān yě bèi rǎn de cuì
滋润得酥软，山野被染得翠
lǜ yí gè měi lì de xià tiān biàn de gèng
绿，一个美丽的夏天，变得更
jiā péng bó le
加蓬勃了！

xià yǔ de shí hou hái yǒu nǎ xiē xiǎo
下雨的时候，还有哪些小
dòng wù de xíng wéi huì fā shēng biàn huà ne
动物的行为会发生变化呢？
hé xiǎo huǒ bàn jiāo liú yí xià ba
和小伙伴交流一下吧！

下面为同学们选编了三篇文章：《夏夜的田野》《夏夜》《夏天去野餐》。阅读这些文章，我们会感受到夏天真美。让我们一起走进夏天，看月亮爬上夜空，闻清风送来稻香，和朋友到郊外去野餐。一边读一边思考，把描写夏天的优美词句标画出来。

1 夏夜的田野

向辉

夏夜的田野，是个神奇的剧场。

蟋蟀，在草丛里弹琴；
夜莺，在树枝上歌唱；
青蛙，在稻田间动情朗诵……

nà me guān zhòng shì shuí ne
那么，观众是谁呢？

ò shì yì qún kě ài de xiǎo xīng xing tā men hào qí de xīn shǎng zhe jīng cǎi de jié mù zhěng zhěng yí yè yě bù jué pí juàn liàng jīng jīng de yǎn ér kuài lè de zhǎ ya zhǎ
哦，是一群可爱的小星星，他们好奇地欣赏着精彩的节目，整整一夜，也不觉疲倦，亮晶晶的眼儿快乐地眨呀眨……

2 夏夜

pánɡ shuò
庞 硕

yuè liang pá shàng le yè kōng
月亮爬上了夜空，
xīng xing tiáo pí de zhǎ zhe yǎn jing
星星调皮地眨着眼睛，
xiǎo hé hēng qǐ le cuī mián qǔ
小河哼起了催眠曲，
cǎo cóng lǐ chuán lái qū qu de liáo tiān shēng
草丛里传来蛐蛐的聊天声。

qīng fēng sòng lái dào xiāng
清风送来稻香，
qīng wā de gē shēng ruò yǐn ruò xiàn
青蛙的歌声若隐若现，
yíng huǒ chóng diǎn qǐ dēng long
萤火虫点起灯笼，
pá shān hǔ qiāo qiāo de bǎ qiáng tóu dǎ ban
爬山虎悄悄地把墙头打扮。

nǎi nai yáo zhe pú shàn
奶奶摇着蒲扇，
zài zhú téng yǐ shàng qīng qīng dǎ qǐ hān
在竹藤椅上轻轻打起鼾，
wá wa zhěn zài nǎi nai de bì wān
娃娃枕在奶奶的臂弯，
zài xià yè lǐ tián tián rù mián
在夏夜里甜甜入眠。

3 夏天去野餐

xià tiān qù yě cān

fù tiān lín

傅天琳

yǒu yì tiáo xiǎo lù

有一条小路，

wān wān de tōng xiàng xià tiān

弯弯的，通向夏天。

yǒu yí zhèn xiǎo fēng

有一阵小风，

ruǎn ruǎn de xiàng chóu zi fǔ mō wǒ de liǎn

软软的，像绸子抚摸我的脸。

yǒu yí piàn cǎo dì

有一片草地，

lǜ lǜ de shì wǒ men de dà zhuō bù

绿绿的，是我们的大桌布。

wǒ hé wǒ de hǎo péng you

我和我的好朋友，

dào jiāo wài lù yíng chī yě cān

到郊外露营，吃野餐。

qǔ chū kuàng quán shuǐ
取出矿泉水，
wǒ men lái gān bēi
我们来干杯，
zhù dì shàng zài duō yì xiē shù
祝地上再多一些树，
shù shàng zài duō yì xiē niǎo
树上再多一些鸟，
zhù bái yún gèng bái lán tiān gèng lán
祝白云更白，蓝天更蓝。

bǎ guǒ jiàng jiā jìn miàn bāo lǐ
把果酱夹进面包里，
zài jiā jìn yì xiē huā xiāng yì xiē yuè guāng
再夹进一些花香，一些月光，
kàn yuè liang shēng qǐ lái le shēng qǐ lái le
看月亮升起来了，升起来了，
níng méng wèi de báo báo de yí piàn
柠檬味的，薄薄的一片。

阅读实践

活动一

xià tiān shì gè měi lì de jì jié zhè jǐ piān wén zhāng zhōng fēn bié xiě le xià tiān de shén me ne bǎ tā men de míng zi xiě xià lái huò bǎ tā men de yàng zi huà xià lái ba

夏天是个美丽的季节，这几篇文章中分别写了夏天的什么呢？把它们的名字写下来或把它们的样子画下来吧！

活动二

xià tiān hěn yǒu qù xiǎo dòng wù men zài huó dòng
夏天很有趣，小动物们在活动，
xiǎo péng you men zài xī xì tā men dōu zài zuò xiē shén
小朋友们在嬉戏。他们都在做些什
me ne dú yi dú xiě yi xiě huà yi huà ba
么呢？读一读，写一写，画一画吧！

活动三

nǐ yǎn zhōng de xià tiān shì shén me yàng de ne
你眼中的夏天是什么样的呢？
bǎ nǐ yǎn zhōng de xià tiān huà xià lái yě kě yǐ yòng
把你眼中的夏天画下来，也可以用
yí jù huà xiě yi xiě
一句话写一写。

1 山溪

shān xī

sài ěr wéi yà mǎ kè xī mò wéi qí
［塞尔维亚］马克西莫维奇

wǒ shì yì tiáo shān xī
我是一条山溪，
wǒ bù shǔ yú shuí
我不属于谁。

wǒ bù tíng liú zài yí dì
我不停留在一地，
wǒ lián yè lǐ yě bù xiū xi
我连夜里也不休息。

wǒ rào cǎo dì zǒu
我绕草地走，
wǒ pāi zhe hé àn liú
我拍着河岸流。

wǒ zài hán lěng de dì fang dǎ gè dǔn
我在寒冷的地方打个盹，
wǒ zài shā tān shàng wán gè kāi xīn
我在沙滩上玩个开心。

dāng sēn lín zài yōu jìng zhōng shuì de shēn chén
当森林在幽静中睡得深沉，
jiù tīng wǒ huā huā yǒu shēng
就听我哗哗有声。

jiē zhe cóng xuán yá yì tóu tiào xià
接着从悬崖一头跳下，
zhā jìn shēn tán wǒ xiào hā hā
扎进深潭我笑哈哈。

wǒ yí lù yǒu tí niǎo xiāng bàn
我一路有啼鸟相伴，
niǎo ér de gē shēng sòng wǒ men bèn yuǎn fāng
鸟儿的歌声送我们奔远方。

wéi wěi yì
（韦苇 译）

2 波浪的话儿

bō làng de huà ér

[日本]窗道雄

rì běn chuāng dào xióng

shuí zài qīng tīng bō làng de huà ér
谁在倾听波浪的话儿？

hǎi ōu zài tīng
海鸥在听，

yú ér zài tīng
鱼儿在听，

hái yǒu wǒ zài tīng
还有我在听，

shā shā shā
沙沙沙，

huā huā huā
哗哗哗，

pēng pēng pēng
嘭嘭嘭。

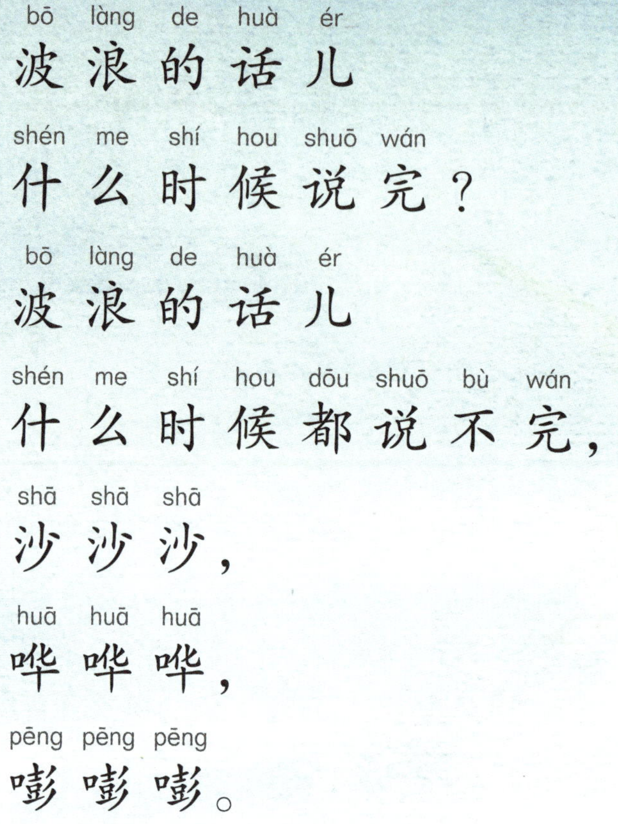

bō làng de huà ér
波浪的话儿
shén me shí hou shuō wán
什么时候说完？
bō làng de huà ér
波浪的话儿
shén me shí hou dōu shuō bù wán
什么时候都说不完，
shā shā shā
沙沙沙，
huā huā huā
哗哗哗，
pēng pēng pēng
嘭嘭嘭。

chén fā gēn yì
（陈发根 译）

wǒ zhī dào shuí zài qīng tīng bō làng de huà ér
我知道谁在倾听波浪的话儿，
wǒ yào quān chū lái dú yi dú
我要圈出来读一读！

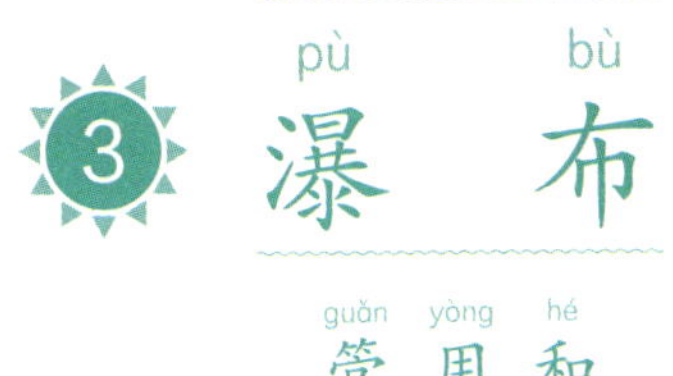

3 瀑布（pù bù）

管用和（guǎn yòng hé）

zhè shān yá xiàng gè yé ye
这山崖像个爷爷，

hǎo lǎo hǎo lǎo
好老，好老，

hún shēn de zhòu wén
浑身的皱纹，

yǒu qiān tiáo wàn tiáo
有千条万条。

hēi nǐ kàn
嘿！你看，

yì bǎ cháng cháng de bái hú xū
一把长长的白胡须，

cóng tóu tuō dào jiǎo
从头拖到脚。

tā bú duàn de chàng a chàng a
他不断地唱啊，唱啊，

hú xū yě bù tíng de piāo
胡须也不停地飘……

yǎng chéng hǎo xí guàn

养成好习惯

hǎo xí guàn bàn wǒ xíng tán huà
好习惯，伴我行。谈话
shí rèn zhēn tīng xiǎo shū bāo zhěng lǐ
时，认真听。小书包，整理
hǎo xī shí jiān ài dòng nǎo
好。惜时间，爱动脑……

hǎo xí guàn zài shēng huó hé xué xí
好习惯在生活和学习
zhōng hěn zhòng yào dú du ér gē hé gù shi
中很重要。读读儿歌和故事，
huì fā xiàn hǎo xí guàn kě yǐ gěi wǒ men dài
会发现好习惯可以给我们带
lái hěn duō hǎo chù ràng wǒ men zhuā zhù wén zhōng
来很多好处。让我们抓住文中
guān jiàn de cí yǔ huò jù zi bǎ gù shi jiǎng
关键的词语或句子，把故事讲
yi jiǎng
一讲。

zhǎo qiān bǐ

1 找铅笔

rì běn xī chéng shān zōng

[日本]西城山宗

wū yā sōng shù shàng de wū yā

乌鸦，松树上的乌鸦，

tīng zhe tīng zhe wǒ wèn nǐ

听着听着，我问你，

nǐ kě céng kàn jiàn kě céng kàn jiàn

你可曾看见，可曾看见

wǒ de qiān bǐ zài nǎ lǐ

我的铅笔在哪里？

hěn hǎo kàn de yì zhī qiān bǐ ya

很好看的一支铅笔呀，

tā de tóu ér jīn shǎn shǎn de

它的头儿金闪闪的，

tōng shēn xiàng tiān kōng nà yàng bì lán bì lán

通身像天空那样碧蓝碧蓝，

hóng hóng de xì tiáor bǎ tā zhuì de hěn měi lì

红红的细条儿把它缀得很美丽。

wū yā sōng shù shàng de wū yā
乌鸦，松树上的乌鸦，

tīng zhe tīng zhe wǒ wèn nǐ
听着听着，我问你，

nǐ kě céng kàn jiàn kě céng kàn jiàn
你可曾看见，可曾看见，

wǒ de qiān bǐ zài nǎ lǐ
我的铅笔在哪里？

wéi wěi yì
（韦苇 译）

nǐ yǒu shén me zhěng lǐ xué xí yòng pǐn de hǎo fāng fǎ hé tóng xué jiāo liú yí xià
你有什么整理学习用品的好方法？和同学交流一下。

cū xīn de xiǎo huà jiā

2 粗心的小画家

xǔ làng

许 浪

dīng ding xǐ huan huà tú huà

丁丁喜欢画图画，

hóng lán qiān bǐ yí dà bǎ

红蓝铅笔一大把，

tā duì bié rén bǎ kǒu kuā

他对别人把口夸：

shén me dōng xi dōu huì huà

什么东西都会画。

huà zhī páng xiè sì tiáo tuǐ
画只螃蟹四条腿，
huà zhī yā zi jiān zuǐ ba
画只鸭子尖嘴巴，
huà zhī xiǎo tù yuán ěr duo
画只小兔圆耳朵，
huà pǐ mǎ ér méi wěi ba
画匹马儿没尾巴。
hā hā hā hā hā hā
哈哈哈，哈哈哈，
zhēn shì gè cū xīn de xiǎo huà jiā
真是个粗心的小画家！

shí jiān shì gè tiáo pí de xiǎo háir

3 时间是个调皮的小孩儿

páng shuò
庞 硕

shí jiān shì gè tiáo pí de xiǎo háir
时间是个调皮的小孩儿，

xǐ huan chuān zhe yǐn shēn yī
喜欢穿着隐身衣

dào chù pǎo
到处跑。

tài yáng pǎo le yì tiān
太阳跑了一天，

zhǎo bú dào tā
找不到他，

hóng zhe liǎn tiào jìn xī biān de xiǎo shān ào
红着脸跳进西边的小山坳。

yuè liang shǒu le yí yè
月亮守了一夜，

zhǎo bú dào tā
找不到他，

shī wàng de huí jiā shuì jiào
失望地回家睡觉。

shí jiān zhè ge tiáo pí de xiǎo háir
时间这个调皮的小孩儿，

qí shí liú xià le lái guo de jì hao
其实留下了来过的记号：

niǎo mā ma duō le jǐ gè bǎo bao
鸟妈妈多了几个宝宝，

yé ye de hú xū bèi rǎn bái le jǐ gēn
爷爷的胡须被染白了几根，

xiǎo shù biàn de gēn chuāng tái yí yàng gāo
小树变得跟窗台一样高……

qīn ài de hái zi
亲爱的孩子，

shí jiān zhè ge tiáo pí de xiǎo háir
时间这个调皮的小孩儿，

jiù cáng zài nǐ de zhǐ fèng jiān
就藏在你的指缝间，

nǐ rú guǒ bù zhuā zhù
你如果不抓住，

tā kě yòu yào liū zǒu le
他可又要溜走了。

wǒ zhī dào shí jiān hái zài nǎ lǐ liú xià le lái guo de jì hao wǒ yào hé huǒ bàn jiāo liú yí xià
我知道时间还在哪里留下了来过的记号，我要和伙伴交流一下！

4 公主的猫

武玉桂

这个故事发生在一个没有猫的国家里。

有一天，一位外国老太太到这个国家来旅游，她给国王带来一只可爱的小猫。国王把小猫送给了自己的小女儿娜娜公主。

娜娜公主别提多喜欢这只小猫了，反正，你就是把太

yáng hé yuè liang jiā zài yì qǐ hé tā huàn xiǎo
阳和月亮加在一起和她换小
māo tā yě kěn dìng bú lè yì kě shì yǒu
猫，她也肯定不乐意。可是有
yì tiān bàng wǎn xiǎo māo tū rán bú jiàn le
一天傍晚，小猫突然不见了。
nà na gōng zhǔ tè bié shāng xīn wū wū de kū
娜娜公主特别伤心，呜呜的哭
shēng jīng dòng le zhěng gè wáng gōng
声惊动了整个王宫。

guó wáng fēi cháng zháo jí pài rén lián yè
国王非常着急，派人连夜
shàng jiē qù tiē xún māo bù gào bù gào shì zhè
上街去贴寻猫布告。布告是这
yàng xiě de
样写的：

nà na gōng zhǔ de xiǎo māo diū le yǒu shuí jiǎn dào
娜娜公主的小猫丢了，有谁捡到
qǐng gǎn jǐn sòng lái jiǎng
请赶紧送来，奖
gěi huáng jīn yí wàn liǎng
给黄金一万两。
jì zhù xiǎo māo de tè
记住，小猫的特

zhè yàng de bù gào bù néng bāng
这样的布告不能帮
nà na gōng zhǔ zhǎo dào xiǎo māo wǒ yào
娜娜公主找到小猫。我要
hé xiǎo huǒ bàn jiāo liú yí xià zěn yàng
和小伙伴交流一下，怎样
xiě bù gào cái néng zhǎo dào xiǎo māo
写布告才能找到小猫。

diǎn shì bié kàn nián jì xiǎo hú zi kě bù shǎo
点是：别看年纪小，胡子可不少！

dì èr tiān yì zǎo wèi bīng bào gào shuō
第二天一早，卫兵报告说，
yǒu rén dài zhe xiǎo māo lǐng jiǎng lái le guó
有人带着“小猫”领奖来了。国
wáng gāo xìng jí le lián tuō xié dōu lái bù jí
王高兴极了，连拖鞋都来不及
chuān jiù pǎo chū le wáng gōng kě shì yí kàn jiù
穿就跑出了王宫，可是一看就
shǎ le yǎn yuán lái miàn qián zhè zhī bié kàn
傻了眼，原来，面前这只“别看
nián jì xiǎo hú zi kě bù shǎo de dòng wù bú
年纪小，胡子可不少”的动物不
shì xiǎo māo ér shì yì zhī xiǎo shān yáng
是小猫，而是一只小山羊。

bù xíng dì yī zhāng xún māo bù gào
不行！第一张寻猫布告
méi bǎ māo de tè diǎn shuō qīng chu guó wáng xià
没把猫的特点说清楚。国王下
lìng mǎ shàng qù tiē dì èr zhāng xún māo bù
令，马上去贴第二张寻猫布
gào zhè huí bù gào shàng xiě zhe
告。这回，布告上写着：

记住，小猫的特点是：大眼睛，会上树，还会捉老鼠！

布告刚贴出不一会儿，又有人带着“小猫”来领奖。国王一看，又错了！这个“大眼睛，会上树，还会捉老鼠”的，原来是猫头鹰。

不行！第二张寻猫布告还没把猫的特点说清楚。国王又下令，贴第三张！第三张布告是一幅画，上面写着：

qiáo jiàn le ma zhè jiù shì māo
瞧见了吗？这就是猫！

hěn kuài yòu yǒu rén lái lǐng jiǎng le
很快，又有人来领奖了，
tā men tái lái yí gè dà tiě lóng zi lǐ miàn
他们抬来一个大铁笼子，里面
guān zhe de nà zhī dòng wù hé huà shàng de yì
关着的那只动物和画上的一
mú yí yàng zhǐ shì gè tóur yào dà jǐ shí
模一样，只是个头儿要大几十
bèi nǎo ménr shàng hái yǒu yí gè wáng zì
倍，脑门儿上还有一个“王”字。
ài yòu cuò le zhè bú shì māo shì hǔ dà wáng
唉，又错了。这不是猫，是虎大王。

娜娜公主找不到心爱的猫，饭也吃不下，两眼哭得又红又肿，坐在镜子前直发呆。忽然，窗外传来一个奇怪的声音——“喵！”啊，小猫出现在窗台上了！娜娜公主扑过去，紧紧地搂住小猫，快活地亲呀，亲呀……

国王在一旁拍着脑瓜，自言自语地说：“我怎么就没有想到呢？‘喵喵’叫才是猫的特点呀！”

5 麻雀学艺

邱国鹰

小麻雀出生后，在妈妈的精心照顾下，羽毛渐渐丰满。

一天，妈妈对它说：“孩子，你也长大了，不能经常待在家里，要学点技能。”“学什么呢？”“学百灵鸟唱歌，它的歌声给人们带来了欢乐，使人们忘记了忧愁和烦恼。”

小麻雀高兴地找百灵鸟

xué chàng gē bù jiǔ tā kū sang zhe liǎn huí
学唱歌。不久，它哭丧着脸回

lái shuō mā ma wǒ kāi kǒu chàng le liǎng
来，说：“妈妈，我开口唱了两

jù tā men jiù xiào wǒ wǒ bù xué le
句，它们就笑我，我不学了。”

nǐ qù zhǎo yàn zi xué zhuō wén zi
“你去找燕子学捉蚊子。”

mā ma shuō xiǎo má què lè yì de qù le
妈妈说。小麻雀乐意地去了，

qù le liǎng tiān jiù huí jiā le juē zhe zuǐ duì
去了两天就回家了，噘着嘴对

mā ma shuō chuān yún rù wù hū gāo hū dī
妈妈说：“穿云入雾，忽高忽低

de fēi wǒ shòu bù liǎo nà kǔ
地飞，我受不了那苦。”

nà nǐ qù xué xǐ què gěi rén men bào
“那你去学喜鹊给人们报

xǐ ba mā ma yòu quàn shuō tā xiǎo má què
喜吧。”妈妈又劝说它。小麻雀

yí bèng yí tiào de qù le jié guǒ hé shàng liǎng
一蹦一跳地去了。结果和上两

cì yí yàng bú dào jǐ tiān jiù huí lái le
次一样，不到几天就回来了，

bù děng mā ma wèn tā jiù shuō zhěng tiān kàn
不等妈妈问，它就说："整天看

kan shuí jiā yǒu xǐ shì zhè jì cāo xīn yòu dān
看谁家有喜事，这既操心又单

diào wǒ bú gàn
调，我不干。"

jiù zhè yàng xiǎo má què bù tīng mā ma
就这样，小麻雀不听妈妈

de quàn shuō zài yě bù xué běn lǐng le yì
的劝说，再也不学本领了，一

shēng wú yí jì zhī cháng
生无一技之长。

wǒ kě bù néng xiàng xiǎo má què yí yàng dào zuì
我可不能像小麻雀一样，到最

hòu wú yí jì zhī cháng
后无一技之长。

xià miàn wèi tóng xué men xuǎn biān le sì shǒu guān yú yǎng chéng hǎo xí guàn de
下面为同学们选编了四首关于养成好习惯的
shī gē zuò wán yí jiàn zài zuò dì èr jiàn xià ba shàng de dòng dong zhǐ tīng bàn
诗歌：《做完一件，再做第二件》《下巴上的洞洞》《只听半
jù hù háng chē zhōng hǎo xí guàn huì ràng wǒ men shòu yì yì shēng cóng diǎn dī de
句》《沪杭车中》。好习惯会让我们受益一生，从点滴的
xiǎo shì zuò qǐ ài xī liáng shi rèn zhēn qīng tīng zhēn xī shí jiān yuè dú shī
小事做起：爱惜粮食，认真倾听，珍惜时间……阅读诗
gē lián xì shēng huó xiǎng yi xiǎng zì jǐ yǎng chéng le nǎ xiē hǎo xí guàn
歌，联系生活想一想：自己养成了哪些好习惯？

zuò wán yí jiàn zài zuò dì èr jiàn
做完一件，再做第二件

shèng yě
圣野

gōng jī è le
公鸡饿了，
mā ma gěi wǒ yì bǎ mǐ
妈妈给我一把米，
yào wǒ qù wèi jī
要我去喂鸡。

wǒ zǒu dào gōng jī shēn biān
我走到公鸡身边，
kàn jiàn yì zhī hēi māo
看见一只黑猫，
wǒ jiù gǎn qù zhuī hēi māo
我就赶去追黑猫。

zhuī māo tī huài le yì tiáo dèng
追猫踢坏了一条凳，
wǒ jiù qù zhǎo bǎ xiǎo fǔ tóu
我就去找把小斧头，
xiǎng bǎ xiǎo dèng xiū hǎo
想把小凳修好。

zhǎo zháo le xiǎo fǔ tóu
找着了小斧头，
kàn jiàn mā ma zài pī chái
看见妈妈在劈柴，
wǒ dà shēng hǎn zhe mā ma
我大声喊着：“妈妈。”

mā ma wèn wǒ
妈妈问我：
jī chī bǎo le méi yǒu
“鸡吃饱了没有？”
wǒ shuō
我说：
méi yǒu wǒ zhuī hēi māo qù le
“没有，我追黑猫去了。”

mā ma wèn wǒ
妈妈问我：
hēi māo zhuī zháo le méi yǒu
“黑猫追着了没有？”
wǒ shuō
我说：

méi yǒu wǒ xiū xiǎo dèng qù le
“没有，我修小凳去了。”

mā ma wèn wǒ
妈妈问我：
xiǎo dèng xiū hǎo le méi yǒu
“小凳修好了没有？”
wǒ shuō
我说：
méi yǒu wǒ lái bāng nín pī chái ya
“没有，我来帮您劈柴呀。”

mā ma shuō
妈妈说：
nǐ ya yí jiàn shì yě méi zuò hǎo
“你呀，一件事也没做好。
nǐ tīng gōng jī è de zhí jiào
你听公鸡饿得直叫，
kuài xiān qù bǎ jī wèi le
快先去把鸡喂了，
zài lái bāng mā ma ba
再来帮妈妈吧！”

xià ba shàng de dòng dong
2 下巴上的洞洞

lǔ bīng
鲁 兵

cóng qián
从前

yǒu gè qí guài de wá wa
有个奇怪的娃娃，

wá wa
娃娃

yǒu gè qí guài de xià ba
有个奇怪的下巴，

xià ba
下巴

yǒu gè qí guài de dòng dong
有个奇怪的洞洞，

dòng dong
洞洞

shuí zhī dào tā yǒu duō dà
谁知道它有多大。

qiáo tā
瞧他

yì biān
一边
fàn wǎng zuǐ lǐ huá
饭往嘴里划，
yì biān
一边
cóng nà dòng dong wǎng xià sǎ
从那洞洞往下撒。

rú guǒ
如果
fàn zhuō shì tǔ dì
饭桌是土地，
ér qiě
而且
fàn lì huì fā yá
饭粒会发芽，
nà me
那么
yì tiān sān cān fàn
一天三餐饭，
tā ya
他呀，

cān cān zhòng zhuāng jia
餐餐种庄稼。

kě xī
可惜

shá yě méi yǒu zhòng chū lái
啥也没有种出来，

zhǐ shì
只是

liáng shi bái bái bèi zāo tà
粮食白白被糟蹋。

nǐ men
你们

tīng le zhè xiào hua
听了这笑话，

dōu yào
都要

mō yi mō xià ba
摸一摸下巴。

yào shi
要是

yě yǒu gè dòng dong
也有个洞洞，

nà jiù
那就

gǎn kuài sāi zhù tā
赶快塞住它。

3 zhǐ tīng bàn jù
只听半句

zhāng qiū shēng
张秋生

tā wú lùn tīng shuí jiǎng huà
他无论听谁讲话

zhǐ tīng bàn jù
——只听半句。

nǎi nai gào su tā tiān lěng le
奶奶告诉他：“天冷了……”

tā shuō zhī dào le zhī dào le
他说：“知道了，知道了，

wǒ yǐ jīng jiā le yí jiàn yī shang
我已经加了一件衣裳。”

bà ba shuō qiáo nǐ zhè dào suàn shù tí
爸爸说：“瞧你这道算术题……”

tā shuō zhī dào le zhī dào le
他说：“知道了，知道了，

wǒ yǐ hòu yí dìng suàn zǐ xì
我以后一定算仔细。”

lǎo shī gào su dà jiā míng tiān de diàn yǐng
老师告诉大家：“明天的电影
shì shàng wǔ de ér tóng chǎng
是上午的儿童场……”
tā shuō zhī dào le zhī dào le
他说：“知道了，知道了，
ér tóng chǎng zǒng bú jiàn dé fàng zài wǎn shang
儿童场总不见得放在晚上！”

tā jiàn gōng yuán lǐ yǒu zhāng yǐ zi
他见公园里有张椅子，
yuán dīng gào su tā zhè yǐ zi
园丁告诉他：“这椅子……”
tā shuō zhī dào le zhī dào le
他说：“知道了，知道了，
zhè yǐ zi zhǐ xǔ zuò bù xǔ tǎng
这椅子只许坐，不许躺！”

yuán dīng yǐ lái bù jí zǔ dǎng
园丁已来不及阻挡，

tā yǐ jīng yí pì gu zuò shàng
他已经一屁股坐上。

gāng gāng shuā shàng de yóu qī
刚刚刷上的油漆，

zài tā pì gu shàng huà le liǎng dào gàng gang
在他屁股上画了两道杠杠。

zhè guài shuí ne
这怪谁呢？

zhǐ guài tā tīng huà zhǐ tīng bàn jù
只怪他听话只听半句……

hù háng chē zhōng
4 沪杭车中

xú zhì mó
徐志摩

cōng cōng cōng cuī cuī cuī
匆匆匆！催催催！
yì juǎn yān yí piàn shān jǐ diǎn yún yǐng
一卷烟，一片山，几点云影，
yí dào shuǐ yì tiáo qiáo yì zhī lǔ shēng
一道水，一条桥，一支橹声，
yì lín sōng yì cóng zhú hóng yè fēn fēn
一林松，一丛竹，红叶纷纷：
yàn sè de tián yě yàn sè de qiū jǐng
艳色的田野，艳色的秋景，
mèng jìng shì de fēn míng mó hu xiāo yǐn
梦境似的分明，模糊，消隐——
cuī cuī cuī shì chē lún hái shi guāng yīn
催催催！是车轮还是光阴？
cuī lǎo le qiū róng cuī lǎo le rén shēng
催老了秋容，催老了人生！

阅读实践

活动一

dú wán zhè sì shǒu shī gē nǎ xiē jù zi gěi
读完这四首诗歌，哪些句子给
nǐ liú xià le shēn kè de yìn xiàng biāo chū lái hé xiǎo
你留下了深刻的印象？标出来和小
huǒ bàn dú yi dú hù xiāng píng jià yí xià ba dú
伙伴读一读，互相评价一下吧！（读
de zhèng què dé dú de liú lì dé dú de
得正确得☆，读得流利得☆☆，读得
yǒu gǎn qíng dé
有感情得☆☆☆）

活动二

zhè sì shǒu shī gē gào su wǒ men yīng gāi yǎng
这四首诗歌告诉我们应该养
chéng nǎ xiē hǎo xí guàn ne dú yi dú xiě zài xià
成哪些好习惯呢？读一读，写在下
miàn ba
面吧！

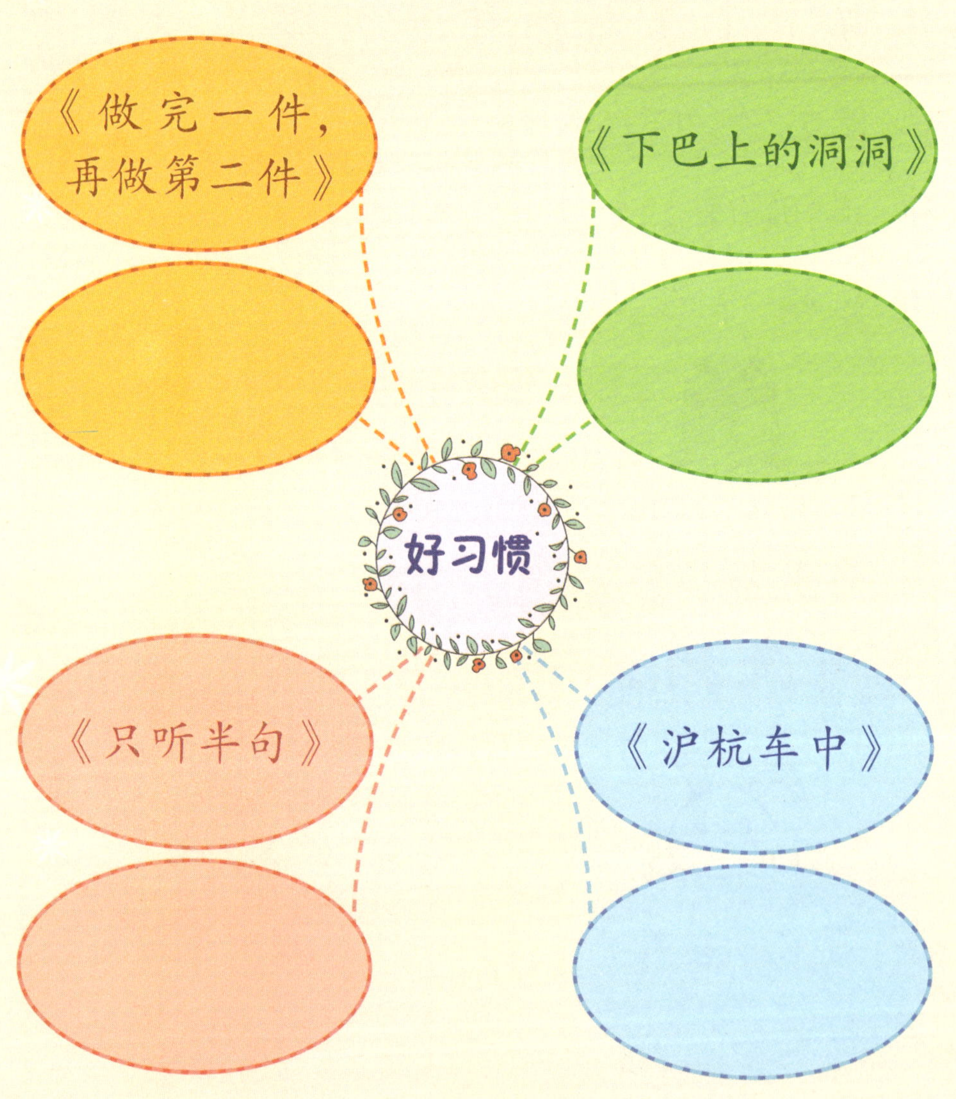

活动三

nǐ jué de wǒ men zài shēng huó hé xué xí zhōng
你觉得我们在生活和学习中，
hái yào yǎng chéng nǎ xiē hǎo xí guàn xiě yi xiě huà
还要养成哪些好习惯？写一写，画
yi huà ba
一画吧！

我有好习惯

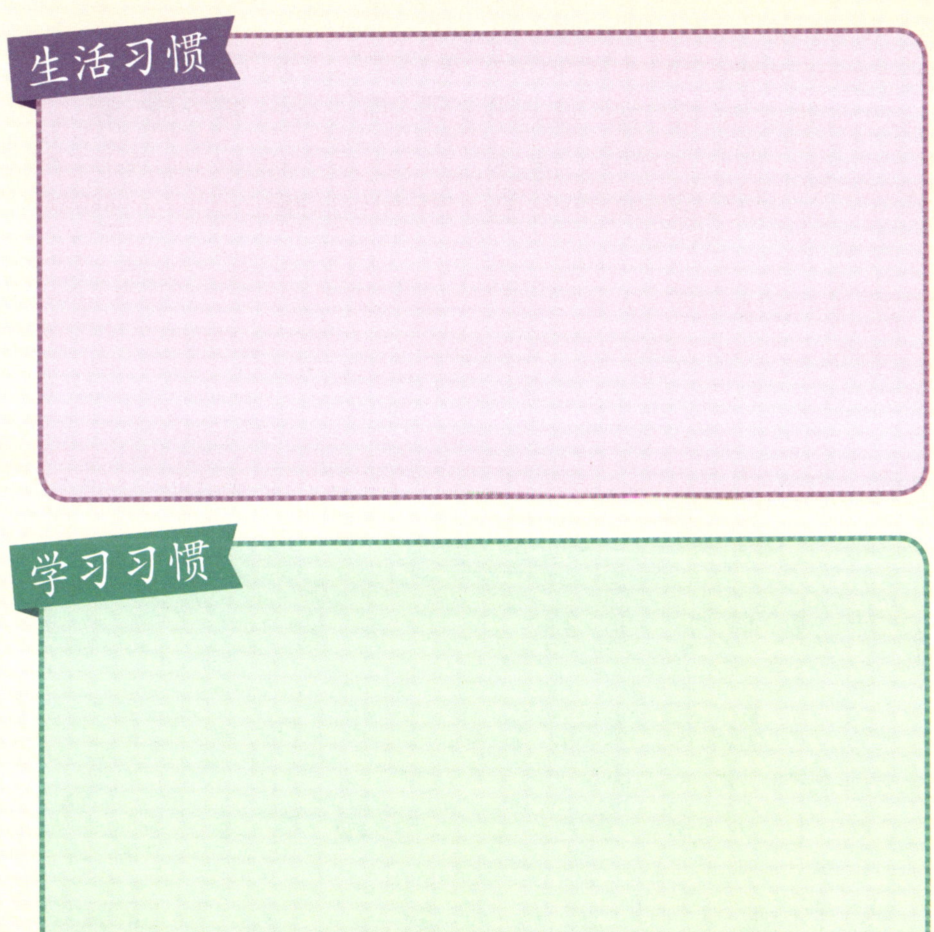

gù shi xiǎo jù chǎng

故事小剧场

wǒ zuì ài dú gù shi le gù shi bú dàn dú qǐ lái yǒu qù hái néng ràng wǒ men xué dào yì xiē zhī shi dǒng de yì xiē dào lǐ

我最爱读故事了，故事不但读起来有趣，还能让我们学到一些知识，懂得一些道理。

nà jiù ràng wǒ men dú yi dú zhè xiē gù shi ba yù dào bú rèn shi de zì kě yǐ cāi cai dú yīn shì zhe zhuā zhù gù shi zhōng guān jiàn de jù zi bǎ zuì yǒu yì si de gù shi jiǎng gěi huǒ bàn tīng

那就让我们读一读这些故事吧！遇到不认识的字，可以猜猜读音；试着抓住故事中关键的句子，把最有意思的故事讲给伙伴听！

1 犀牛不生气了

董恒波

河边，一头犀牛不知因为什么事生气了。

暴怒的犀牛用它鼻子上那根钢棍似的硬角把一棵大树撞倒了。它气得浑身发抖，嘴里“哞——哞——”地怒叫着。

鳄鱼对狮子说：“你快去

我很想知道犀牛为什么生气，我要继续读下去！

quàn quan tā ba gàn má fā nà me dà de
劝劝它吧，干吗发那么大的
huǒ ya
火呀？”

shī zi shuō xī niú de jiǎo jiān de
狮子说：“犀牛的角尖得
xiàng gāng chā wǒ kě bù gǎn
像钢叉，我可不敢。”

è yú yòu ràng lǎo hǔ qù quàn lǎo hǔ
鳄鱼又让老虎去劝。老虎
yáo zhe nǎo dai shuō xī niú de pí hòu de
摇着脑袋，说：“犀牛的皮厚得
xiàng gāng bǎn wǒ kě bù gǎn
像钢板，我可不敢。”

jiù zài dà jiā bù zhī suǒ cuò de

就在大家不知所措的

shí hou yì qún xiǎo niǎo fēi lái le xiǎo

时候，一群小鸟飞来了，小

niǎo biān fēi biān chàng

鸟边飞边唱：

xī niú dà shū bié shēng qì

犀牛大叔别生气，

péng you lái le bāng bang nǐ

朋友来了帮帮你。

zhǐ yào yǒu wǒ xiǎo niǎo zài

只要有我小鸟在，

bǎo nǐ shū fu yòu mǎn yì
保你舒服又满意。

tīng jiàn zhè xiē xiǎo niǎo de gē shēng xī
听见这些小鸟的歌声，犀
niú guǒ rán qì xiāo le yí bàn xiǎo niǎo fēn fēn
牛果然气消了一半。小鸟纷纷
luò zài le xī niú de bèi shàng qīng qīng de zhuó
落在了犀牛的背上，轻轻地啄
le qǐ lái
了起来。

yuán lái xī niú de pí fū lǐ shēng zhǎng
原来，犀牛的皮肤里生长
zhe yì zhǒng jiào biǎn shī de xiǎo chóng zi gè
着一种叫扁虱的小虫子，个
tóur suī rán bú dà què néng dīng jìn xī niú
头儿虽然不大，却能叮进犀牛
de ròu lǐ qù xī xuè ne xī niú jiù shì yīn wèi
的肉里去吸血呢。犀牛就是因为
shēn shàng zhǎng le tài duō de biǎn shī ér shēng qì
身上长了太多的扁虱而生气。

huì chàng gē de xiǎo niǎo jiào zuò biǎn shī
会唱歌的小鸟叫作扁虱
niǎo yě jiào xī niú niǎo tā men jiù xǐ huan chī
鸟，也叫犀牛鸟，它们就喜欢吃

xī niú shēn shàng de biǎn shī
犀牛身上的扁虱。

nǐ kàn zhè qún biǎn shī niǎo
你看，这群扁虱鸟

xiàng yí gè gè xiǎo yī shēng shì de yí huìr
像一个个小医生似的，一会儿

jiù bǎ xī niú de bìng gěi zhì hǎo le
就把犀牛的病给治好了。

xiè xie nǐ la biǎn shī niǎo xī
“谢谢你啦，扁虱鸟！”犀

niú dà shū gǎn jī de shuō
牛大叔感激地说。

bú kè qi ya bú kè qi
不客气呀不客气，

bāng nǐ yě shì yīng gāi de
帮你也是应该的。

chī le biǎn shī zhǎng shēn tǐ
吃了扁虱长身体，

nǐ shū fu lái wǒ mǎn yì
你舒服来我满意。

qīn ài de xiǎo péng you biǎn shī niǎo de
亲爱的小朋友，扁虱鸟的

gē chàng de hǎo tīng ma
歌唱得好听吗？

yuán lái huì chàng
原来会唱

gē de biǎn shī niǎo shì
歌的扁虱鸟是

xī niú de yī shēng
犀牛的医生。

2 音乐会开始了

方轶群

歌唱家百灵鸟要在森林里举办独唱音乐会。消息传开，大家都争着来买票。

这天，天气晴朗，绿色的森林里，阳光透过枝叶，斑斑点点地洒在潮湿的地上。各种动物从四面八方赶来听音乐会。雌知了、飞蛾、金钟儿和雄蚊子来得最早，他们坐

zài dì yī pái, yǒu shuō yǒu xiào de děng zhe yǎn chàng
在第一排，有说有笑地等着演唱
huì kāi shǐ.
会开始。

táng láng fú wù yuán shǒu tí huà tǒng,
螳螂服务员手提话筒，
shuō: "guān zhòng men qǐng zuò hǎo, yīn yuè huì jiù
说：“观众们请坐好，音乐会就
yào kāi shǐ le!"
要开始了！”

cí zhī liǎo yì tīng yīn yuè huì yào kāi
雌知了一听音乐会要开

始了，就挺起了肚皮；飞蛾也展开了双翅；金钟儿呢，把前脚翘得老高，就像是要往上爬的样子；雄蚊子伸出了头上触角的绒毛，他们都准备好好地欣赏百灵鸟的歌声。

螳螂服务员一见前排这几位观众的样子，就开口说道：“金钟儿，请把前脚放下。雄蚊子，不要伸出头上的触角，那样不礼貌。雌知了，你挺着肚皮多难看哪！飞蛾，你的

chì bǎng zuì hǎo yě fàng xià lái
翅膀最好也放下来。”

jīn zhōngr duì táng láng fú wù yuán shuō
金钟儿对螳螂服务员说：

duì bu qǐ yīn wèi wǒ de ěr duo zhǎng
“对不起，因为我的‘耳朵’长

zài qián jiǎo shàng rú guǒ wǒ fàng xià qián jiǎo
在前脚上，如果我放下前脚，

nà jiù tīng bù qīng le
那就听不清了。”

xióng wén zi yě duì táng láng shuō wǒ
雄蚊子也对螳螂说：“我

de ěr duo jiù shì chù jiǎo shàng de máo
的‘耳朵’就是触角上的毛，

rú guǒ wǒ bǎ chù jiǎo fàng xià nà jiù tīng bù
如果我把触角放下，那就听不

qīng la
清啦！”

cí zhī liǎo yě shuō dào wǒ bú shì
雌知了也说道：“我不是

chéng xīn tǐng dù pí de wǒ de ěr duo
成心挺肚皮的，我的‘耳朵’

zhǎng zài dù pí shàng tǐng zhe dù pí cái tīng de
长在肚皮上，挺着肚皮才听得

qīng a
清啊！”

fēi é shuō huà màn tā děng bié rén dōu
飞蛾说话慢，他等别人都
shuō wán hòu cái shuō wǒ de ěr duo zhǎng
说完后，才说：“我的‘耳朵’长
zài xiōng bù zhǐ yǒu zhāng kāi chì bǎng wǒ cái
在胸部，只有张开翅膀，我才
néng tīng qīng gē shēng
能听清歌声。”

táng láng tīng le tā men jǐ gè shuō de
螳螂听了他们几个说的

话，才明白了他们的“耳朵”长的部位各不相同。螳螂对他们说：“很抱歉，我不清楚你们的‘耳朵’原来是这样的。那好吧，就请你们按自己的习惯坐吧！”

百灵鸟登台演唱了，她的歌声美妙动听，来听演唱的观众们都为百灵鸟热烈鼓掌。

动物世界真奇妙，我要把这个故事讲给小伙伴听！

sān zhī fēng zheng fēi guò lái

3 三只风筝飞过来

liú bǐng jūn

刘丙钧

xiǎo sōng shǔ bìng le tǎng zài shù dòng lǐ bù

小松鼠病了，躺在树洞里不

néng dòng gèng bù néng qù hé péng you men wánr

能动，更不能去和朋友们玩儿。

wǒ men qù kàn kan xiǎo sōng shǔ xiǎo

“我们去看看小松鼠。”小

māo shuō

猫说。

bù xíng bù xíng sōng shǔ jiā tài xiǎo

“不行不行，松鼠家太小，

wǒ jìn bú qù xiǎo xióng shuō

我进不去。”小熊说。

bù xíng bù xíng sōng shǔ jiā tài gāo

“不行不行，松鼠家太高，

wǒ shàng bú qù xiǎo gǒu shuō

我上不去。”小狗说。

nà kě zěn me bàn xiǎo māo xiǎng a

那可怎么办？小猫想啊

xiǎng xiǎo gǒu xiǎng a
想，小狗想啊

xiǎng xiǎo xióng xiǎng a
想，小熊想啊

xiǎng tā men xiǎng chū gè
想，他们想出个

hǎo zhǔ yi
好主意。

tā men xiǎng chū le shén me hǎo zhǔ yi ne wǒ yào jì xù dú xià qù
他们想出了什么好主意呢？我要继续读下去。

zǎo shang xiǎo sōng shǔ bèi xǐ què jiào
早上，小松鼠被喜鹊叫

xǐng le xiǎo sōng shǔ xiǎo sōng shǔ nǐ kuài
醒了："小松鼠，小松鼠，你快

kàn xiǎo sōng shǔ tàn chū tóu lái yí kàn
看！"小松鼠探出头来一看，

yā sān zhī fēng zheng xiàng tā piāo lái yì zhī
呀，三只风筝向他飘来！一只

xiǎo māo fēng zheng yì zhī xiǎo gǒu fēng zheng hái
小猫风筝，一只小狗风筝，还

yǒu yì zhī xiǎo xióng fēng zheng xiǎo sōng shǔ wǎng shù
有一只小熊风筝。小松鼠往树

xià kàn xiǎo māo xiǎo gǒu hé xiǎo xióng zhèng xiàng
下看，小猫、小狗和小熊正向

tā zhāo shǒu ne xiǎo sōng shǔ xīn lǐ nuǎn nuǎn de
他招手呢。小松鼠心里暖暖的。

gōng jī xué jiào

4 公鸡学叫

sūn jiàn jiāng

孙建江

gōng jī měi tiān zǎo chen tiān gāng liàng jiù

公鸡每天早晨天刚亮就

chě kāi sǎng mén wō wō wō wō wō

扯开嗓门：“喔喔喔——喔喔

wō zhǔ rén tīng zhe xīn lǐ hěn gāo xìng

喔——”主人听着，心里很高兴。

gōng jī yǒu hěn duō hěn duō hǎo péng you tā men

公鸡有很多很多好朋友。他们

dōu hěn guān xīn gōng jī bāng tā chū zhǔ yi

都很关心公鸡，帮他出主意。

shān què duì gōng jī shuō nǐ de jiào

山雀对公鸡说：“你的叫

shēng zhè me dà duō nán tīng a bǎ rén jia

声这么大，多难听啊！把人家

de ěr duo dōu zhèn lóng le yīng gāi xiàng wǒ nà

的耳朵都震聋了。应该像我那

yàng jī jī jī jī jī jī qīng qīng kuài kuài

样，叽叽叽，叽叽叽，轻轻快快

de jiào
地叫。”

gōng jī jué de yǒu dào lǐ, yú shì xué
公鸡觉得有道理，于是学
zhe shān què jiào.
着山雀叫。

huā xǐ què duì gōng jī shuō: “yīng gāi
花喜鹊对公鸡说：“应该
xiàng wǒ yí yàng jiào, zhā zhā, zhā zhā, zhè jiào
像我一样叫，喳喳，喳喳，这叫

bào xǐ yǒu shuí bú ài tīng xǐ xùn
报喜。有谁不爱听喜讯？”

gōng jī jué de yě yǒu dào lǐ， yú shì
公鸡觉得也有道理，于是

yòu xué huā xǐ què jiào
又学花喜鹊叫。

kān mén gǒu shēng qì de shuō： nà nǎ
看门狗生气地说：“那哪

chéng yīng gāi xiàng wǒ yí yàng jiào， wāng wāng wāng
成？应该像我一样叫，汪汪汪

wāng zhè yàng cái néng kān hù jiā yuán， bào dá
汪！这样才能看护家园，报答

zhǔ rén de yǎng yù zhī ēn na
主人的养育之恩哪！”

gōng jī jué de yě yǒu dào lǐ， yú shì
公鸡觉得也有道理，于是

yòu xué kān mén gǒu jiào
又学看门狗叫。

xiǎo māo fā yán le： nán tīng sǐ
小猫发言了：“难听死

le， nán tīng sǐ le， cū shēng cū qì， jiù
了，难听死了，粗声粗气，就

xiàng qiāo pò luó。 nǐ qiáo， yīng gāi xiàng wǒ yí
像敲破锣。你瞧，应该像我一

yàng miāo miāo tīng jiàn le ma duō
样，喵——喵——听见了吗？多
me róu hé duō me shū qíng zhè yàng cái néng
么柔和，多么抒情。这样才能
gěi zhǔ rén ān wèi cái néng dé dào zhǔ rén
给主人安慰，才能得到主人
de téng ài
的疼爱。”

gōng jī jué de yě tǐng yǒu dào lǐ yú
公鸡觉得也挺有道理，于
shì yòu xué xiǎo māo jiào
是又学小猫叫。

gōng jī qín fèn hào xué tā xué shān què
公鸡勤奋好学。他学山雀
jiào xué huā xǐ què jiào xué kān mén gǒu jiào
叫，学花喜鹊叫，学看门狗叫，
xué xiǎo māo jiào xué ya xué ya fǎn bǎ zì
学小猫叫，学呀学呀，反把自
jǐ yuán lái de jiào shēng tǒng tǒng wàng guāng le
己原来的叫声统统忘光了。
ér qiě měi tiān zǎo chen yě bú zài tí jiào le
而且每天早晨也不再啼叫了。

yì tiān wǎn shang zhǔ rén gāng tǎng xià
一天晚上，主人刚躺下，

gōng jī dé yì de jiào kāi le
公鸡得意地叫开了。

zhǔ rén hǎo shēng nà mèn zhè shì shén me
主人好生纳闷。这是什么

shēng yīn yīn yáng guài qì de kū bú xiàng
声音？阴阳怪气的，哭不像

kū xiào bú xiàng xiào tā dìng jīng yí kàn yuán
哭，笑不像笑。他定睛一看，原

lái shì gōng jī
来是公鸡！

zhǔ rén qì de yào mìng nǐ zhè ge méi
主人气得要命：“你这个没

chū xi de jiā huo jì rán nǐ diū diào le zì jǐ
出息的家伙。既然你丢掉了自己

de tè cháng wǒ hái yǎng zhe nǐ gàn shén me
的特长，我还养着你干什么？”

zhǔ rén bǎ gōng jī gǎn chū le jiā mén
主人把公鸡赶出了家门。

dú le zhè ge gù shi wǒ dǒng de le yù shì yào xué huì sī
读了这个故事，我懂得了遇事要学会思

kǎo shì hé zì jǐ jiù hǎo bú yào máng mù gēn cóng
考，适合自己就好，不要盲目跟从。

yè wǎn zài sēn lín lǐ

5 夜晚，在森林里

zhāng qiū shēng

张秋生

zhuó mù niǎo xiān sheng shì zuì xún guī dǎo

啄木鸟先生是最循规蹈

jǔ de tā bái tiān gàn huó wǎn shang shuì jiào

矩的。他白天干活，晚上睡觉，

rì zi guò de tài tài píng píng

日子过得太太平平。

yì tiān bàng wǎn zhuó mù niǎo gàn wán huó

一天傍晚，啄木鸟干完活

huí jiā tā chī le yí dù zi hài chóng xīn

回家，他吃了一肚子害虫，心

lǐ tǐng tòng kuài tā fēi guò māo tóu yīng dà shū

里挺痛快。他飞过猫头鹰大叔

de jiā māo tóu yīng gāng shuì xǐng zhǔn bèi shàng

的家。猫头鹰刚睡醒，准备上

yè bān māo tóu yīng dà shū qǐng zhuó mù niǎo jìn

夜班。猫头鹰大叔请啄木鸟进

qù zuò zuo

去坐坐。

zhuó mù niǎo lèi le tā hěn gāo xìng zài
啄木鸟累了，他很高兴在
māo tóu yīng jiā xiǎo zuò piàn kè māo tóu yīng dà
猫头鹰家小坐片刻。猫头鹰大
shū de ér zi sòng lái liǎng bēi yǐn liào yì bēi
叔的儿子送来两杯饮料，一杯
gěi bà ba yì bēi gěi zhuó mù niǎo xiān sheng
给爸爸，一杯给啄木鸟先生。

zhuó mù niǎo jiē guò chá bēi dǎ kāi gài
啄木鸟接过茶杯，打开盖
zi hē le yì kǒu yǒu diǎn kǔ wèi dàn hěn
子喝了一口，有点苦味，但很
xiāng tā zhèng kǒu kě yì yǎng bó zi jiù gū
香。他正口渴，一仰脖子就咕
dū gū dū hē le xià qù
嘟咕嘟喝了下去。

māo tóu yīng dà shū jiē guò chá bēi dǎ
猫头鹰大叔接过茶杯，打
kāi gài zi gāng xiǎng hē tū rán zhòu le yí xià
开盖子刚想喝，突然皱了一下
méi tóu shuō zěn me shì jú zi zhī
眉头说：“怎么是橘子汁？”

xiǎo māo tóu yīng zhè cái zhī dào gǎo cuò
小猫头鹰这才知道搞错

了。啄木鸟喝下的是一杯浓咖啡，这是猫头鹰大叔上班前提神的饮料；而送给啄木鸟先生喝的橘子汁，却

啄木鸟喝错了饮料，会发生什么呢？让我们继续读下去。

dào le māo tóu yīng dà shū de shǒu zhōng
到了猫头鹰大叔的手中。

zhè yì wǎn shang zhuó mù niǎo xiān sheng zài
这一晚上，啄木鸟先生再
yě shuì bù zháo jiào le tā shǔ le jìn páng de
也睡不着觉了。他数了近旁的
shù yè zài shǔ tiān shàng de xīng xing yǎn jing
树叶，再数天上的星星，眼睛
yī rán hé bù lǒng
依然合不拢。

yè wǎn nóng mì de shù lín shì hěn měi
夜晚，浓密的树林是很美
lì de zài yuè guāng xià yì kē kē dà shù
丽的。在月光下，一棵棵大树
biàn chéng le yì tuán tuán yǒu hēi de yǐng zi zhuó
变成了一团团黝黑的影子。啄
mù niǎo xiān sheng dì yī cì xīn shǎng dào zhè dà
木鸟先生第一次欣赏到这大
sēn lín de yè jǐng
森林的夜景。

yuǎn chù zài yí piàn sù sù zuò xiǎng de
远处，在一片簌簌作响的
shù cóng zhōng liàng zhe liǎng tuán guāng hǎo xiàng liǎng zhǎn
树丛中亮着两团光，好像两盏

dēng yí yàng hái méi děng zhuó mù niǎo kàn chū

灯一样。还没等啄木鸟看出

míng tang zhè liǎng zhǎn dēng měng de cháo shù xià

名堂，这两盏灯猛地朝树下

zāi qù

栽去。

zī yì zhī tōu le fù jìn tián

“吱！”一只偷了附近田

yě lǐ de yù mǐ zhèng zhǔn bèi wǎng jiā bān de
野里的玉米、正准备往家搬的
tián shǔ bèi yì shuāng tiě zhǎo qín huò le
田鼠，被一双铁爪擒获了。
yuán lái zhè shì yì zhī māo tóu yīng liǎng tuán
原来，这是一只猫头鹰。两团
liàng guāng shì tā de yí duì ruì lì de dà
亮光，是他的一对锐利的大
yǎn jing
眼睛。

zhuó mù niǎo bǐng xī jìng qì de kàn zhe
啄木鸟屏息静气地看着。
bù yí huìr māo tóu yīng yǐ jīng zhuā le sān
不一会儿，猫头鹰已经抓了三
zhī tián shǔ sān gè yǐn cáng zài sēn lín lǐ de
只田鼠。三个隐藏在森林里的
xiǎo tōu bèi xiāo miè le
小偷被消灭了。

tiān kuài liàng le yuè liang yǐ jīng xī chén
天快亮了，月亮已经西沉。

zhuó mù niǎo zài yě rěn bú zhù le tā
啄木鸟再也忍不住了，他
lái dào māo tóu yīng gēn qián
来到猫头鹰跟前。

māo tóu yīng dà shū zhēn duì bu qǐ
“猫头鹰大叔，真对不起，
dǎ rǎo nín yí xià
打扰您一下！”

nǐ hǎo zhuó mù niǎo xiān sheng zhè me
“你好，啄木鸟先生。这么
zǎo jiù qǐ lái le
早就起来了？”

bù wǒ yì wǎn shang méi shuì dì yī
“不，我一晚上没睡，第一
cì kàn dào sēn lín de yè wǎn yě kàn dào le
次看到森林的夜晚，也看到了
nín de xīn qín láo dòng wǒ zhēn gāo xìng yǒu
您的辛勤劳动，我真高兴。有
jiàn shì wǒ děi qǐng nín yuán liàng
件事，我得请您原谅。”

shén me shì māo tóu yīng gǎn dào
“什么事？”猫头鹰感到
qí guài
奇怪。

wǒ céng jīng gēn bié rén shuō māo tóu
“我曾经跟别人说，猫头
yīng yì jiā lǎn duò dà bái tiān zài shù shàng dǎ
鹰一家懒惰，大白天在树上打

瞌睡，现在看来我错了，我不了解您！”

“没关系，你了解了森林的夜晚也就了解了我，我有时白天也要来看你捉虫，我们需要彼此了解……”

“是的，我们需要相互了解，尽管我们生活在同一个森林里。”啄木鸟若有所思地说。

原来猫头鹰和啄木鸟都是森林医生。

6 前进，前进，木头兵

吕丽娜

遇到不认识的字，我们可以借助插图猜一猜，也可以联系上下文猜猜字的读音和意思。

绿草地上，站着一队神气的木头兵。他们的军服整洁大方，他们的军刀闪闪发亮。他们正在等待一位主人。

来了一只狐狸。

“跟我走吧！”狐狸对木头兵们说，“我干活的时候，你们可以为我望风。”

狐狸所说的“干活”，其实就是偷东西，因为他是一个大盗贼。

“不！”木头兵们说。

他们可不愿意要一个盗贼当主人。

来了一头驴子。

“跟我走吧！”驴子对木头兵们说，“我会为你们准备一个温暖舒适的木头房间。”

驴子所说的“木头房间”，其实就是木头箱子。驴子喜欢收藏各种木头玩意儿，他想把他们通通锁在一个大木头箱子里。

“不！”木头兵们说。

他们不愿意一辈子待在一个黑暗的木头箱子里。

来了一个年轻妈妈。

“跟我走吧！”年轻妈妈说，“我的小宝贝会喜欢你们的。”

年轻妈妈的小宝贝是个婴儿，无论拿到什么东西都会放在嘴巴里啃。

“不！”木头兵们说。

他们可不愿意被放在嘴巴里啃。

来了一个白胡子老头儿。

“跟我走吧！”白胡子老头儿说，“在我的战场上，你们会成为勇敢的士兵。”

白胡子老头儿说的战场，其实是棋盘。白胡子老头儿是个棋迷，他想把木头兵变成他的棋子。

“不！”木头兵们说。

他们可不愿意做任人摆布的棋子。

最后，来了一个小女孩。

“跟我走吧！”小女孩对木头兵们说，“我有许多可爱的布娃娃。我很为她们担心，因为有几只大老鼠总是想欺负她们，所以我想让你们保护她们。”

“好极了！”木头兵们说。因为保护小姑娘们正是勇敢的士兵的责任！

“前进，前进，木头兵……”

木头兵们唱着歌，迈着整齐的步伐，跟在小女孩的后面回家去。

他们的军服整洁大方，他们的军刀闪闪发亮。

我明白了木头兵为什么会跟着小女孩回家去。

1 珍宝

张秋生

啄木鸟忙碌了很多年，这片森林里的害虫几乎都被她除尽了。近来她变得很空闲，甚至有时间停立在枝头，听风和树叶一起唱歌。

一天，飞来一只名叫白头翁的鸟。

白头翁对啄木鸟说：“听

shuō nǐ méi huór gàn le zhèng hǎo wǒ zhǎng wò
说你没活儿干了，正好我掌握
zhe yí gè fā cái de mì mì wǒ men yì qǐ
着一个发财的秘密，我们一起
lái hé zuò ba
来合作吧！”

fā cái de mì mì zhuó mù niǎo
“发财的秘密？”啄木鸟
jué de hěn yǒu qù tā cóng lái bù zhī dào fā
觉得很有趣，她从来不知道发
cái shì zěn me huí shì
财是怎么回事。

bái tóu wēng shén mì xī xī de gào su
白头翁神秘兮兮地告诉

zhuó mù niǎo tā zài hǎi biān yí piàn sēn lín
啄木鸟，他在海边一片森林

lǐ fā xiàn yǒu yì qún wài hào jiào zéi ōu
里，发现有一群外号叫“贼鸥”

de hǎi ōu céng jīng tíng liú zài nà lǐ zhè
的海鸥，曾经停留在那里。这

zéi ōu shì hǎi shàng de dào zéi tā men yí dìng
贼鸥是海上的盗贼，他们一定

shì dào lái le shén me zhēn bǎo cáng zài le nà
是盗来了什么珍宝，藏在了那

piàn sēn lín lǐ
片森林里。

shuí dōu zhī dào nǐ yǒu yì zhāng hěn
“谁都知道，你有一张很

lì hai de jiān zuǐ wǒ men yì qǐ hé zuò
厉害的尖嘴，我们一起合作，

hěn róng yì zhǎo dào zéi ōu men cáng qǐ lái de
很容易找到贼鸥们藏起来的

zhēn bǎo dào nà shí wǒ men jiù fā cái le
珍宝，到那时，我们就发财了，

nǐ wǒ gǎn kuài xíng dòng ba bái tóu wēng shuō
你我赶快行动吧。”白头翁说，

shuí dōu zhī dào nǐ shì yì zhī qín fèn néng
“谁都知道，你是一只勤奋能

干的鸟……”

啄木鸟心想：反正我也闲着，于是就跟着白头翁向海边的森林飞去。

这片森林不是很大。白头翁说：“快快找吧，珍宝就藏在这里！”

啄木鸟在森林里巡视一遍，她发现这里的很多树都病恹恹的，打不起精神来。

啄木鸟忙着用尖嘴叩打着一棵棵树：

dǔ dǔ dǔ
“笃，笃，笃……”

bái tóu wēng zài biān shàng jiāo jí de xún
白头翁在边上焦急地询
wèn zhè shù lǐ yǒu méi yǒu cáng zhe zhēn bǎo
问，这树里有没有藏着珍宝。

zhuó mù niǎo tóu yě bù tái de shuō
啄木鸟头也不抬地说：
wǒ zhèng zài zhǎo ne
“我正在找呢！”

bái tóu wēng zài shù cóng jiān luàn bèng luàn
白头翁在树丛间乱蹦乱
tiào tā huān jiào zhe wǒ men jiù kuài zhǎo dào
跳，他欢叫着：“我们就快找到
zhēn bǎo le
珍宝了！”

zhuó mù niǎo bù huāng bù máng de zhuó zhe
啄木鸟不慌不忙地啄着
shù gàn tā zhuó chū yí gè gè shù dòng bǎ
树干，她啄出一个个树洞，把
duǒ zài lǐ miàn de chóng zi dōu zhuā le chū lái
躲在里面的虫子都抓了出来。

hěn duō rì zi guò qù le bái tóu wēng
很多日子过去了，白头翁

jiǎn chá le zhuó mù niǎo zhuó chū de měi gè shù dòng
检查了啄木鸟啄出的每个树洞，
tā shī wàng de wèn zhēn bǎo zài nǎ lǐ
他失望地问：“珍宝在哪里？”

zhuó mù niǎo xiào zhe shuō nǐ bù jué
啄木鸟笑着说：“你不觉
de wǒ chú qù le chóng zi zhè zuò sēn lín bú
得我除去了虫子，这座森林不
zài bìng yān yān de tā biàn de gèng cuì lǜ
再病恹恹的，她变得更翠绿、
gèng yǒu huó lì le ma
更有活力了吗？”

qiáo zhe bái tóu wēng zhāng zhe dà zuǐ shuō
瞧着白头翁张着大嘴说
bù chū huà lái zhuó mù niǎo shuō méi yǒu bǐ
不出话来，啄木鸟说：“没有比
yí zuò jiàn kāng de sēn lín gèng zhēn guì de le
一座健康的森林更珍贵的了，
zhè jiù shì wǒ yào de zhēn bǎo
这就是我要的珍宝！”

nǐ zhēn ràng wǒ shī wàng bái tóu
“你真让我失望，”白头
wēng huàng zhe tā mǎn tóu bái sè de yǔ máo shuō
翁晃着他满头白色的羽毛说，

nǐ méi qiáo jiàn jiù wèi le xún zhǎo zéi ōu
“你没瞧见，就为了寻找贼鸥
men de zhēn bǎo wǒ láo lèi de tóu fa dōu bái
们的珍宝，我劳累得头发都白
le ma
了吗？”

shuō wán bái tóu wēng yòu gēn zài yì
说完，白头翁又跟在一
qún fēi guò de hǎi ōu hòu miàn qù xún zhǎo
群飞过的海鸥后面，去寻找
zhēn bǎo le
珍宝了。

jù shuō zhè zhī bái tóu wēng yì zhí
据说，这只白头翁一直
děng dào mǎn tóu bái sè de yǔ máo dōu diào
等到满头白色的羽毛都掉
jìn yě méi yǒu zhǎo dào tā zhòu sī yè xiǎng
尽，也没有找到他昼思夜想
de zhēn bǎo
的珍宝……

wǒ míng bai le shén me shì zhēn zhèng de zhēn bǎo
我明白了什么是真正的珍宝。

xiǎo xǐ què de huā huán
2 小喜鹊的花环

gāo hóng bō
高洪波

huó pō de xiǎo xǐ què zài huā yuán lǐ
活泼的小喜鹊在花园里
zhǎo dào qī duǒ bù tóng yán sè de xiǎo huā biān
找到七朵不同颜色的小花，编
chéng le yí gè piào liang de huā huán
成了一个漂亮的花环。

xiǎo xǐ què dài zhe qī sè huā huán biān
小喜鹊戴着七色花环，边
tiào biān chàng zhā zhā zhā zhā zhā zhā yí
跳边唱：“喳喳喳，喳喳喳，一
chuàn měi lì de qī sè huā dài zài bó zi
串美丽的七色花，戴在脖子
shàng xīn lǐ xiào hā hā
上，心里笑哈哈。”

xiǎo xǐ què tū rán kàn dào yì zhī xiǎo
小喜鹊突然看到一只小
má què méi jīng dǎ cǎi de fēi zhe xiǎo xǐ
麻雀没精打采地飞着。小喜

鹊上前问小麻雀："你为什么不高兴？"小麻雀伤心地说："小朋友们都嫌我丑，不愿和我玩。"

小喜鹊摘下红花和黄花送给了小麻雀。戴上鲜花的小麻雀快乐地飞走了。

迎面又跳来一只小青蛙，对小喜鹊说：“呱呱呱，呱呱呱，我要一朵小紫花。戴紫花的小青蛙，池塘里面顶呱呱。”

小喜鹊摘下小紫花，小青蛙举着小紫花快乐地跳走了。小紫花在阳光下一闪一闪的，真漂亮。

zhè shí zǒu lái yì tóu xiǎo luò tuo dīng
这时走来一头小骆驼，盯
zhe xiǎo xǐ què de huā huán bù kěn zǒu
着小喜鹊的花环不肯走。

xiǎo xǐ què wèn xiǎo luò tuo nǐ yě
小喜鹊问小骆驼：“你也
xǐ huan wǒ de huā huán ma xiǎo luò tuo shuō
喜欢我的花环吗？”小骆驼说：
wǒ qù shā mò kàn mā ma xiǎng ràng mā ma
“我去沙漠看妈妈，想让妈妈
wén huā xiāng
闻花香。”

xiǎo xǐ què yì tīng mǎ shàng zhāi xià
小喜鹊一听，马上摘下
huā huán dài zài xiǎo luò tuo de bó zi shàng
花环，戴在小骆驼的脖子上。
xiǎo luò tuo tài gāo xìng le shuō dào xiè xie
小骆驼太高兴了，说道：“谢谢
nǐ xiǎo xǐ què
你，小喜鹊。”

suī rán méi yǒu le huā huán kě xiǎo xǐ
虽然没有了花环，可小喜
què xīn lǐ què chōng mǎn le huān lè
鹊心里却充满了欢乐。

zhōng guó jīng shén
中国精神

huáng hé cháng jiāng ràng wǒ jiāo ào
黄河、长江让我骄傲，
wǔ xīng hóng qí ràng wǒ zì háo
五星红旗让我自豪。

wǒ men zài zǔ guó mā ma de huái
我们在祖国妈妈的怀
bào lǐ xìng fú chéng zhǎng wǒ men ài zǔ guó
抱里幸福成长，我们爱祖国
mā ma
妈妈！

我们从小热爱你

wǒ men cóng xiǎo rè ài nǐ

tóng xī rén
佟希仁

gǔ shēng xiǎng, hào shēng cuì,
鼓声响，号声脆，

xiǎo péng you men pái hǎo duì.
小朋友们排好队。

pái hǎo duì, tái tóu wàng,
排好队，抬头望，

wǔ xīng hóng qí zài piāo yáng.
五星红旗在飘扬。

jǔ qǐ shǒu, jiǎo zhàn qí,
举起手，脚站齐，

gōng gōng jìng jìng xíng gè lǐ.
恭恭敬敬行个礼。

hóng qí dài biǎo zán zǔ guó,
红旗代表咱祖国，

wǒ men cóng xiǎo rè ài nǐ.
我们从小热爱你。

祖国妈妈真漂亮

魏宗

祖国妈妈真漂亮，
两条彩带披身上：
一条名字叫黄河，
一条名字叫长江。
黄河黄，长江长，
江河两岸鱼米香。
亿万儿女齐打扮，
祖国妈妈真漂亮。

3 dà jiā
大家

péng wàn zhōu
彭万洲

wǒ yǒu yí gè jiā
我有一个家，
bà ba hé mā ma
爸爸和妈妈。
dà jiā yǒu gè jiā
大家有个家，
zǔ guó hǎo mā ma
祖国好妈妈。
dōng xī nán běi zhōng
东西南北中，
wǔ shí liù duǒ huā
五十六朵花，
zhǎng zài huā yuán lǐ
长在花园里，
kāi zài guó qí xià
开在国旗下。

4 最美要数12朵花

滕毓旭

百花园，开百花，
最美要数12朵花。

什么花？富强花。
国富民强香万家。

什么花？民主花。
人民作主当了家。

shén me huā hé xié huā
什么花？和谐花。
mín zú tuán jié shì yì jiā
民族团结是一家。

shén me huā wén míng huā
什么花？文明花。
wén míng lǐ mào rén rén kuā
文明礼貌人人夸。

zì yóu huā píng děng huā
自由花，平等花，
gōng zhèng fǎ zhì jìng yè huā
公正、法治、敬业花。

ài guó huā chéng xìn huā
爱国花，诚信花，
yǒu shàn huā kāi hóng sì xiá
友善花开红似霞。

duǒ huā kāi bú bài
12朵花，开不败，
jiē chū guǒ ér gè gè dà
结出果儿个个大。

整本书阅读

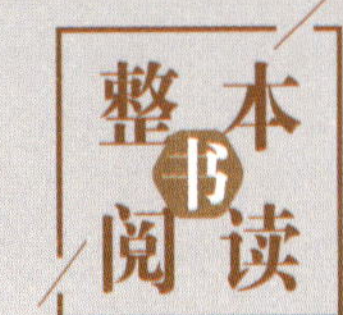

wén jù de jiā

《文具的家》

shèng yě

圣 野

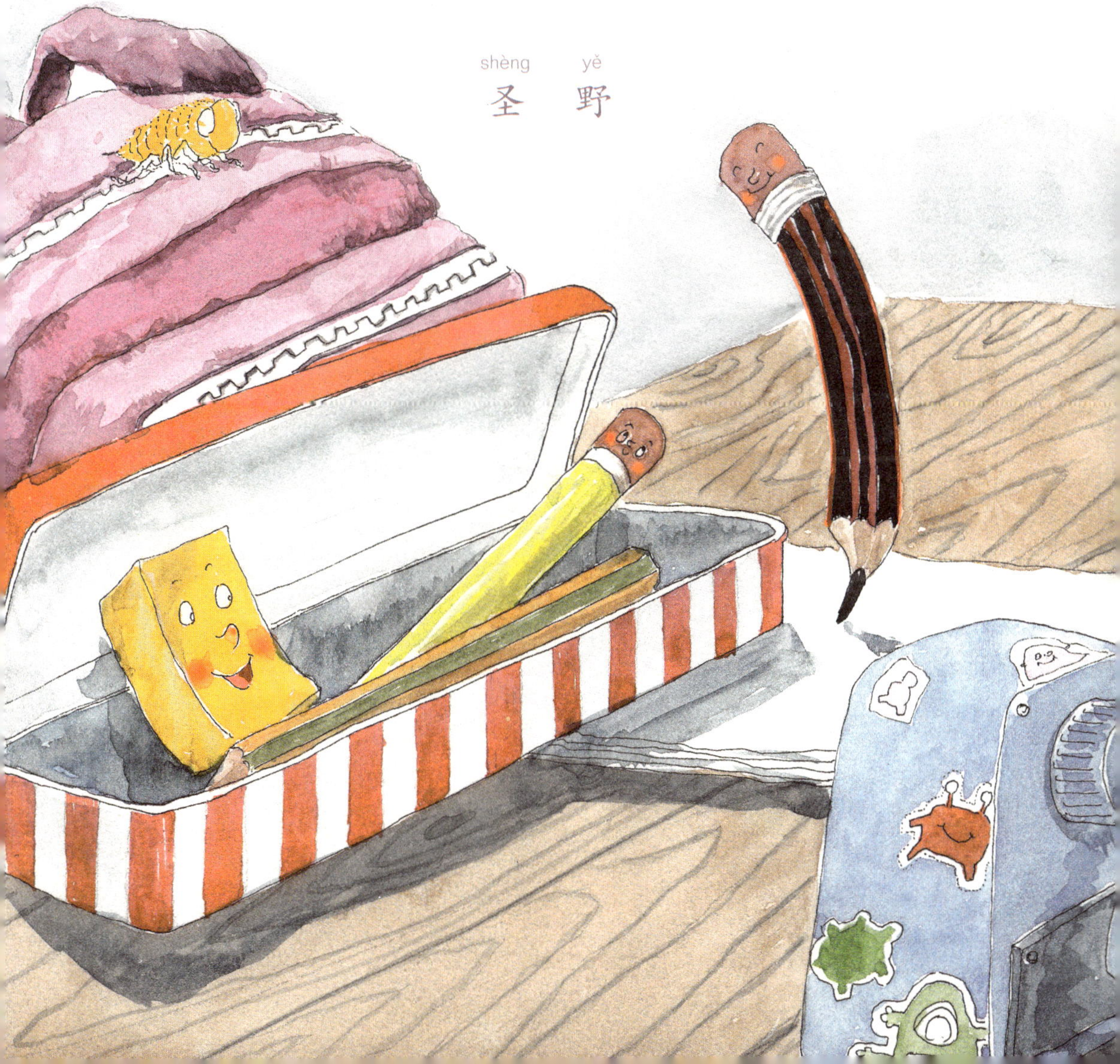

推荐语

一个小小的故事，可以超越最久远的时间和最辽阔的空间，让我们在任何时候和任何地方，都能够看到美丽的风景，听到好听的故事。打开一扇神奇的窗子会发生什么？能把人挤成“扁大饼”和“长油条”的挤挤城里到底发生了什么事？哈哈王国里又有什么样的奇闻趣事呢？答案就在圣野爷爷的《文具的家》这本书里呢！让我们赶快读一读吧！

作者简介

圣野，生于1922年2月，浙江东阳人。著名作家、编辑家、评论家，是我国现代童诗开拓者之一。曾任《小朋友》主编，《中国童诗》杂志名誉主编。中国作家协会、中国散文诗学会、中国民间文艺家协会会员，出版过《啄木鸟》《小灯笼》《列车》《写在早晨的诗》《雷公公和啄木鸟》等诗集，《春娃娃》《瓜果谣》《诗的散步》等作品多次获得各类奖项。

内容梗概

《文具的家》这本书收入了《太阳公公，你早！》《寻找》《雪白的书》《绿色的大家庭》等多个故事。青蛙弟弟把一盘珍珠打落在水里，他不停地寻找，希望能够找到；萤火虫提着小萤灯、荷花姐妹提着荷花灯、荷叶弟弟举着大盖灯、睡莲阿姨举着各色花灯，一起参加湖上灯会；老爷爷的拐杖丢了，隔壁的小弟弟做他的活拐杖，小弟弟长高了，他给老爷爷做了一根神奇的拐杖……从这些有趣、神奇的故事中，我们感受到了自由快乐的生活，懂得了乐于助人的道理。

lí míng de gē shǒu
黎明的歌手

yì zhī hóng jī guān de dà gōng jī
一只红鸡冠的大公鸡，
zài yí cì bào xiǎo bǐ sài zhōng dé le gè guàn
在一次报晓比赛中，得了个冠
jūn xīn lǐ zhēn yǒu shuō bù chū de gāo xìng
军，心里真有说不出的高兴。
kě jiù zài dé guàn jūn de dì èr tiān wèi le
可就在得冠军的第二天，为了
zhēng duó yì tiáo dà wú gōng tā gēn yì zhī
争夺一条大蜈蚣，他跟一只
huā gōng jī jìng rán dǎ qǐ jià lái yí bù xiǎo
花公鸡竟然打起架来，一不小
xīn tā ràng nà zhī yě mán de huā gōng jī zhuó
心，他让那只野蛮的花公鸡啄
xiā le liǎng zhī yǎn jing
瞎了两只眼睛。

cóng zhè yǐ hòu tā hěn nán guò tā
从这以后，他很难过，他
céng jué wàng de gào su yì zhī lǎo mǔ jī
曾绝望地告诉一只老母鸡：

wǒ méi yǒu yǎn jing kàn bú jiàn guāng liàng
“我没有眼睛，看不见光亮，

jiào wǒ zěn me bào xiǎo ne yào shi wǒ huó
叫我怎么报晓呢？要是我活

zhe méi yǒu shén me yòng chù hái bù rú sǐ diào
着没有什么用处，还不如死掉

de hǎo
的好！”

lǎo mǔ jī tīng jiàn le máng
老母鸡听见了，忙

lái ān wèi tā gōng jī dà gē
来安慰他：“公鸡大哥

啊，快别这么想。只要活着，谁都可以给这个世界做一些事情。比方说，你的眼睛虽然看不见了，但你曾经报过晓的嗓音，还是很好听的，你不可以用这一副嘹亮的金嗓子，教孩子们唱歌吗？”

老母鸡这么一说，大公鸡的眼前似乎一亮，产生了想好好过日子的强烈愿望。

后来，这只得过报晓冠军称号的盲公鸡，受聘当了音乐

xué yuàn de jiào shī péi yǎng le yì pī yòu yì
学院的教师，培养了一批又一
pī wèi lí míng gē chàng de chū sè gē shǒu
批为黎明歌唱的出色歌手。

xuǎn zì shèng yě wén jù de jiā
（选自圣野《文具的家》）

yí lì xiǎng dāng dāng de tóng wān dòu
一粒响当当的铜豌豆

yí lì tóng wān dòu qiāo zài yì zhī jīn wǎn shàng jīn wǎn jiù fā chū dāng lāng lāng de qīng liàng de xiǎng shēng
一粒铜豌豆，敲在一只金碗上，金碗就发出当啷啷的清亮的响声。

tóng wān dòu qí guài de wèn wǒ de shēng yīn zěn me huì zhè yàng hǎo tīng ne jīn wǎn huí dá shuō yīn wèi nǐ shì yí lì xiǎng dāng dāng de tóng wān dòu
铜豌豆奇怪地问：“我的声音怎么会这样好听呢？”金碗回答说：“因为你是一粒响当当的铜豌豆。”

tóng wān dòu qiāo zài yì zhī pò wǎ pén
铜豌豆敲在一只破瓦盆

shàng pò wǎ pén fā chū de xiǎng shēng tīng qǐ
上，破瓦盆发出的响声，听起
lái yǒu diǎnr shā yǎ tóng wān dòu jiù wèn
来有点儿沙哑。铜豌豆就问：
wǒ de shēng yīn zěn me hū rán huì zhè yàng nán
“我的声音怎么忽然会这样难
tīng ne
听呢？”

pò wǎ pén huí dá shuō zhè shì yīn wèi
破瓦盆回答说：“这是因为
nǐ jīn tiān sì hū yǒu diǎnr gǎn mào le
你今天似乎有点儿感冒了。”

tóng wān dòu yǒu diǎnr bù gǎn xiāng xìn
铜豌豆有点儿不敢相信
zì jǐ de ěr duo tóng wān dòu xiǎng wǒ yìng
自己的耳朵，铜豌豆想：我硬
lǎng lǎng de shēn tǐ gāng cái bú shì hái hǎo hǎo
朗朗的身体，刚才不是还好好
de ma
的吗？

xuǎn zì shèng yě wén jù de jiā
（选自圣野《文具的家》）

阅读小贴士

yuè dú zhōng yù dào bú rèn shi de zì kě yǐ jiè zhù pīn yīn dú yi dú huò gēn jù shàng xià wén de yì si cāi yi cāi
阅读中遇到不认识的字可以借助拼音读一读，或根据上下文的意思猜一猜。

wǒ néng jiè zhù biāo diǎn fú hào dú chū gǎn tàn huò yí wèn de yǔ qì wǒ hái néng jiè zhù shū zhōng de chā tú huò wén zhōng guān jiàn de cí jù bǎ dú dào de nèi róng jiǎng gěi dà jiā tīng
我能借助标点符号读出感叹或疑问的语气。我还能借助书中的插图或文中关键的词句，把读到的内容讲给大家听。

wén jù de jiā
《文具的家》

zì cí jù
字、词、句

jiè zhù pīn yīn dú yi dú, gēn jù shàng xià wén cāi yi cāi yì si
借助拼音读一读，根据上下文猜一猜意思。

bǎ hǎo cí jiā jù jī lěi xià lái
把好词佳句积累下来。

duàn luò piān mù
段落、篇目

jiè zhù biāo diǎn fú hào dú chū qíng gǎn
借助标点符号读出情感。

jiè zhù chā tú huò guān jiàn cí jù, jiǎng jiang dú dào de gù shi
借助插图或关键词句，讲讲读到的故事。

我伴你读

活动一

我爱读书

日期	阅读内容 （写出每天的阅读篇目）	阅读评价
__月__日		☆☆☆
__月__日		☆☆☆
__月__日		☆☆☆
__月__日		☆☆☆
__月__日		☆☆☆
__月__日		☆☆☆
__月__日		☆☆☆
__月__日		☆☆☆

měi tiān àn jì huà wán chéng
每天按计划完成
yuè dú dǎ kǎ jiù kě yǐ dé sān
阅读打卡，就可以得三
kē xīng yo jiā yóu
颗星哟。加油！

活动二

梳理内容

wǒ yào bǎ dú dào de nèi róng yòng jiǎn dān de sī
我要把读到的内容用简单的思
wéi dǎo tú shū lǐ yí xià
维导图梳理一下！

活动三

与你分享

喜欢的故事写一写

喜欢的景色画一画

敬　　启

为编好这本书，我们与收入本书的作品（含图片）作者进行了广泛联系，得到了各位作者的大力支持。在此，我们表示衷心的感谢。但是，由于个别作者地址不详，虽经多方努力，仍无法取得联系。敬请各位有著作权的作者尽快与我们联系，以便我们支付稿酬，并致谢忱！

我们还要感谢使用本书的师生们。希望你们在使用本书的过程中，能够及时把意见和建议反馈给我们，对此，我们深表谢意，并将给予一定奖励。让我们携起手来，共同完成本书的建设工作。

联 系 人：梁老师　刘老师

联系电话：010-58022100-6362

联系邮箱：ztxx2008@sina.com

网　　址：http://www.ywztxx.com

地　　址：北京市海淀区知春路7号致真大厦A座18层

图书在版编目（CIP）数据

春天的歌 / 张丽主编. — 上海 : 上海教育出版社, 2021.12

ISBN 978-7-5720-0804-7

Ⅰ.①春… Ⅱ.①张… Ⅲ.①阅读课—小学—教学参考资料 Ⅳ.①G624.233

中国版本图书馆CIP数据核字（2021）第260850号

责任编辑　顾　翊
封面设计　陈丽娟　王艺霖
著作权人　北京华樾教育科技有限公司

春天的歌

张丽　主编

出版发行　上海教育出版社有限公司
官　　网　www.seph.com.cn
地　　址　上海市闵行区号景路159弄C座
邮　　编　201101
印　　刷　河北泓景印刷有限公司
开　　本　720×1010　1/16　印张 20
字　　数　200千字
版　　次　2021年12月第1版
印　　次　2021年12月第1次印刷
书　　号　ISBN 978-7-5720-0804-7/G·0620
定　　价　118.00元（全二册）

如发现质量问题，请向本社调换　021-64373213

春天的歌 1

一 经典诵读

1.《池上早夏（节选）》

（1）“春”字是什么结构？（　）

A. 左右结构

B. 上下结构

C. 半包围结构

（2）判断：《池上早夏》这首诗的作者是宋朝的白居易。（　）

2.《雪》

（1）“雪”字是什么结构？（　）

A. 上下结构

B. 左右结构

C. 半包围结构

（2）读了《雪》这首诗，我知道“瑞”字的意思是____。（　）

A. 吉祥

B. 丰收

C. 下雪

3.《小满》

（1）判断：《小满》这首诗的作者是唐朝的欧阳修。（　）

（2）“风”字的最后一笔是什么？（　）

A. 斜捺

B. 竖撇

C. 长点

4.《首夏山中行吟》

（1）判断：“行”字在这首诗题目中的读音是“xíng”。（　）

（2）读了《首夏山中行吟》，我知道____（季节）适合养蚕。（　）

A. 春季

B. 夏季

C. 秋季

5.《三字经（节选）》

（1）判断：《三字经》的内容都是三个字一断句。（　）

（2）“经”字可以和下面哪项中的字做朋友组成词？（　）

A. 过

B. 明

C. 中

6.《声律启蒙（节选）》

（1）判断：从“李对桃”一句中可以看出“李”也是一种植物。（　）

（2）下列不是节气名称的是哪一项？（　）

A. 春分

B. 夏至

C. 谷水

二 汉字真奇妙

1.《四季歌（丁立美）》

（1）下列各项中的词语用来形容春天的是______，用来形容秋天的是______，用来形容冬天的是______。（　）

A. 柳绿花红

B. 秋高气爽

C. 雪花飘飘

（2）看到“蝉”字的字形，我猜想这个字可能和______有关。（　）

A. 昆虫

B. 植物

C. 鸟类

2.《四季歌（滕毓旭）》

（1）判断：大雁在秋天会飞向南方。（　）

（2）《四季歌》中共有______个小节。（　）

A.3

B.4

C.5

3.《姓氏问答歌》

（1）“姓”字可以和下面哪项中的字做朋友组成词？（　）

A. 名

B. 别

C. 女

（2）和“氏”字读音不一样的是哪项中的字？（　）

A. 是

B. 市

C. 四

4.《水果问答》

（1）判断：“什”字是形声字，左右结构。（　）

（2）下面不属于水果的是哪一项？（　）

A. 蟠桃

B. 葡萄

C. 茄子

5.《新书包》

（1）想一想，谁和“炮”“胞”“泡”“跑”长得像？（　）

A. 咆

B. 哮

C. 跳

（2）“跑”“炮”“泡”“袍”的

韵母是______。（　）

A. p

B. ao

C. pao

6.《“河”“呵”“可”“何”》

（1）“河”“呵”“可”“何”中谁与其他三个字的声母不一样？（　）

A. 可

B. 何

C. 河

（2）根据形声字的特点，我猜“柯”字的读音是______。（　）

A.hé

B.kē

C.hè

7.《米字歌》

（1）“歌”字不能和下面哪项中的字做朋友组成词？（　）

A. 儿

B. 哥

C. 诗

（2）“米”字加偏旁可以组成的生字是______。（　）

A. 咪

B. 味

C. 蛋

8.《寸字歌》

（1）“寸”字是什么结构？（　）

A. 独体结构

B. 左右结构

C. 上下结构

（2）判断：“寸”字加“又”字变成“犯”字。（　）

9.《春天被卖光了》

（1）“春天是一匹世界上最美丽的彩布”中的“匹”字读第几声？（　）

A. 第一声

B. 第二声

C. 第三声

（2）世界上最美丽的彩布是什么？（　）

A. 春天

B. 燕子

C. 剪刀

10.《银色的雨》

（1）判断：“苗”和“花”两个字的结构相同，偏旁也相同。（　）

（2）儿歌中是什么“喜了翠苗，醉了花朵”？（　）

A. 春雨

B. 江河

C. 大海

11.《数角》

（1）“角”字是什么结构？（　）

A. 独体结构

B. 上下结构

C. 左右结构

（2）读了儿歌，你知道三头牛（不是牛犊）有______只角。（　）

A. 2

B. 4

C. 6

12.《甲》

（1）判断：在“尾巴”一词中“巴”字读轻声。（　）

（2）儿歌《甲》中共有几句话？（　）

A. 1

B. 2

C. 4

三　童年的心愿

1.《感谢》

（1）下列几组汉字中，结构相同的是哪一组？（　）

A. 蓝　天

B. 勇　敢

C. 翱　翔

（2）儿歌《感谢》共有几个小节？（　）

A. 3

B. 4

C. 5

2.《黄河的话》

（1）“高”字的反义词是什么？（　）

A. 上

B. 下

C. 低

（2）读了《黄河的话》，你知道黄河是从什么地方动身的吗？（　）

A. 高山

B. 青海地方的高山

C. 长城

3.《热爱祖国》

（1）与“阔”字偏旁相同的是哪项中的字？（　）

A. 国

B. 问

C. 句

（2）中华人民共和国一共有多少个民族？（　）

A. 55

B. 56

C. 57

4.《我多想》

（1）“都”字在词语“首都”和“都江堰”中的读音一样吗？（　）

A. 一样

B. 不一样

C. 有时候一样

（2）判断：我猜想“巍峨的泰山”中“巍峨”的意思是山很高大。（　）

5.《找梦》

（1）判断：“梦”字是上下结构。（　）

（2）“睡”字的反义词是什么？（　）

A. 醒

B. 梦

C. 想

6.《捉迷藏》

（1）“捉迷藏”的“藏”字的读音是什么？（　）

A. cáng

B. cháng

C. zàng

（2）小妹妹是在跟谁玩捉迷藏的游戏？（　）

A. 风

B. 树叶

C. 树

7.《上学一路歌》

（1）为什么“教室的地上，满是湿鞋印”？（　）

A. 蹚一路溪水

B. 看一路花

C. 吃一路野果

（2）春天上学______，夏天上学______，秋天上学______。（　）

A. 看一路花

B. 蹚一路溪水

C. 吃一路野果

8.《小草坪》

（1）“坪”字可以和下面哪项中的字做朋友组成词？（　）

A. 地

B. 天

C. 草

（2）夏天的时候，小草在门前铺起了一条平展展的绿色的______。（　）

A. 被子

B. 地毯

C. 草坪

9.《树》

（1）判断：“选”字的结构是半包围。（　）

（2）蝉儿们唱歌的教室指的是哪里？（　）

A. 春天的树

B. 夏天的树

C. 冬天的树

10.《窗上的图画》

（1）“图”字是什么结构？（　）

A. 半包围结构

B. 全包围结构

C. 独体结构

（2）儿歌里发出“滴答，滴答”声音的是什么？（　）

A. 春雨

B. 雪花

C. 雷

11.《召唤》

（1）根据形声字的特点，“揣”字与什么有关？（　）

A. 头的动作

B. 手的动作

C. 脚的动作

（2）“森林的多情”指的是什么？（　）

A. 揣上浆果

B. 揣上贝壳

C. 揣上白云

12.《秋天的大树》

（1）“天”字可以与下面哪项中的字做朋友组成词？（　）

A. 加

B. 农

C. 气

（2）秋天，我看见的那棵大树是什么树？（　）

A. 杏树

B. 枫树

C. 银杏树

13.《童心的祝愿》

（1）判断：“想”字是上下结构。（　）

（2）文中的“您”指谁？（　）

A. 黄河

B. 长江

C. 祖国妈妈

14.《拾螺壳》

（1）判断：根据形声字的特点，我猜“拾”是一个表示动作的词。（　）

（2）《拾螺壳》中，“我”是在什么时候去拾螺壳的？（　）

A. 涨潮时

B. 退潮时

C. 天亮时

15.《小白杨》

（1）判断：这首儿歌读起来真好听，每句话尾字的读音都很像，因为“旁”“行”“唱”“掌”“霜”“强”“长”“梁”的韵母都是 ang。（ ）

（2）“杨”字可以和下面哪项中的字做朋友组成词？（ ）

A. 百

B. 树

C. 风

16.《花宴》

（1）外祖父的庭院是______。（ ）

A. 花的世界

B. 草的世界

C. 鸟的世界

（2）“花宴”是指什么？（ ）

A. 用花做的宴席。

B. 像花一样好看的宴席。

C. 春天百花盛开时制作的宴席。

四 我们是朋友

1.《小鸭子回家》

（1）判断：“森”字的声母是“sh”。（ ）

（2）“天渐渐黑了”，这里的“渐渐”可以换成什么词？（ ）

A. 慢慢

B. 悄悄

C. 轻轻

2.《好朋友》

（1）判断：“一行行”中的“行”是多音字，在这里读 háng，它的另一个读音可以组词为“行走”。（ ）

（2）儿歌中“我”的好朋友是谁？（ ）

A. 同学

B. 小树

C. 爸爸妈妈

3.《小小公园》

（1）“草”“鸟”“桥”“闹”这四个字都有相同的韵母______。（ ）

A. ɑ

B. o

C. ɑo

（2）下列哪项中的词语和“郁郁葱葱”“摇摇摆摆”“叽叽喳喳”“形形色色”“开开心心”这些词形式相同？（ ）

A. 高高兴兴

B. 人来人往

C. 自由自在

4.《蜗牛和兔子》

（1）选择正确的字，和下面的字组成词语：______牛，鸟______。（ ）

A. 蜗

B. 窝

C. 握

（2）“兔子快得一溜烟”是什么意思？（ ）

A. 兔子跑得很慢。

B. 兔子和烟赛跑。

C. 兔子跑得很快。

5.《新学校》

（1）儿歌《新学校》中，谁去上新学校？（ ）

A. 新新

B. 圆圆

C. 花花

（2）判断：“团”“圆”两个字都是全包围结构。（ ）

6.《分糖果》

（1）判断：“我”的糖果盒里有花花绿绿的糖果。（ ）

（2）“我一个人的快乐就变成许多人的快乐”，句子中的“快乐”和下面哪个词语的意思相近？（ ）

A. 喜欢

B. 娱乐

C. 开心

7.《多少》

（1）“一天里能有多少欣喜和快乐”一句中的“欣喜”和“快乐”的意思______。（ ）

A. 相近

B. 相反

C. 没有关系

（2）判断：“纱门”中的“纱”和“沙子”中的“沙”读音一样。（ ）

8.《征友启事》

（1）文中第3自然段的“征友启事”共有几句话？（ ）

A. 2

B. 3

C. 4

（2）下列各项中的词语中跟“孤单”意思相近的是哪一个？（ ）

A. 希望

B. 孤独

C. 兴奋

9.《小雪花》

（1）“温暖”的反义词是什么？（ ）

A. 甜蜜

B. 寒冷

C. 温柔

（2）判断：妈妈的吻是温暖、甜蜜的，小雪花的吻是冰凉、清爽的。（　）

10.《五星红旗》

（1）下列选项中有动词的是哪一项？（　）

A. 打威风鼓

B. 喜庆锣

C. 大秧歌

（2）儿歌中“像一条长长的巨龙”的是什么？（　）

A. 五星红旗

B. 长城

C. 星星

五 万物皆有情

1.《月夜》

（1）“家”字的部首是什么？（　）

A. 宀

B. 穴

C. 丶

（2）“今夜偏知春气暖”的下一句是什么？（　）

A. 更深月色半人家

B. 北斗阑干南斗斜

C. 虫声新透绿窗纱

2.《霜月》

（1）判断：“霜”字的部首是“雨”，这个字与天气有关。（　）

（2）“百尺楼高水接天”的上一句是什么？（　）

A. 初闻征雁已无蝉

B. 青女素娥俱耐冷

C. 月中霜里斗婵娟

3.《心中的铃铛》

（1）判断：“小熊有了一间单独的房间，他很高兴”，说明小熊很喜欢独自睡觉。（　）

（2）小熊为什么要摇着铃铛上厕所？（　）

A. 因为小熊不敢自己上厕所。

B. 因为小熊想叫醒妈妈陪着他。

C. 因为小熊想提醒别人注意。

4.《这几步路好难走》

（1）“这几步路好难走”中“难”字的读音是什么？（　）

A. nàn

B. nán

C. kùn

（2）文中“伸去”的反义词是什么？（　）

A. 缩回

B. 退回

C. 迈出

5.《端午节》

（1）端午节是哪一天？（　）

A. 五月五

B. 六月六

C. 七月七

（2）“赛”字是什么结构？（　）

A. 左右结构

B. 上下结构

C. 半包围结构

6.《端午节思屈原》

（1）判断：端午节是我国最古老的传统节日之一，距现在已经有两千多年的历史了。（　）

（2）楚顷襄王即位之后，听信小人的坏话，是怎样对待屈原的？（　）

A. 囚禁起来。

B. 去秦国谈判。

C. 流放到偏僻的地方。

7.《下雨了》

（1）下面哪项中的词语和“跳来跳去”“飞来飞去”形式相同？（　）

A. 红红火火

B. 跑来跑去

C. 开开心心

（2）“绵羊似的白云”这个句子把白云比作______，是因为它们都______。（　）

A. 绵羊

B. 棉花糖

C. 又软又白

8.《弯弯的彩虹》

（1）在画线处填上正确的标点符号：“哟，春雨洒过，大地变得多么新鲜、多么美丽______”（　）

A.，

B.？

C.！

（2）春天到了，______的梨花和______的桃花都开了。（　）

A. 雪白

B. 金黄

C. 粉红

9.《雷声和闪电》

（1）“领先”的反义词是什么？（　）

A. 优先

B. 落后

C. 带领

（2）这首儿歌写了哪种天气？（　）

A. 雷雨天气

B. 下雪天气

C. 大雾天气

10.《打雷歌》

（1）这首儿歌里面写了几种雷？（　）

A. 4

B. 6

C. 8

（2）“隆隆隆隆”“咚咚咚咚”“稀里沙啦”这些词语都是用来形容什么的？（　）

A. 下雨

B. 雷声

C. 闪电

11.《春雨》

（1）“种”字和下列哪项中的字具有相同的偏旁？（　）

A. 校

B. 秋

C. 桥

（2）下雨的时候，麦苗要做什么？（　）

A. 长大

B. 开花

C. 发芽

12.《月亮》

（1）“争”字可以跟下面哪项中的字做朋友组成词？（　）

A. 吵

B. 眼

C. 扎

（2）判断：“耀”字的读音与“药”字相同。（　）

13.《中秋月》

（1）“中秋月”指的是哪个节日的月亮？（　）

A. 重阳节

B. 春节

C. 中秋节

（2）中秋节的月亮有什么特点？（　）

A. 弯弯的像小船

B. 窄窄的小月牙儿

C. 圆圆的像玉盘

14.《勇敢的“胆小鬼”》

（1）玲玲最怕的是什么？（　）

A. 小鸟被拴。

B. 爸爸生气。

C. 什么都怕。

（2）判断：“油亮的羽毛闪耀着斑斓的色彩”一句中“斑斓”的意思是颜色又多又漂亮。（　）

15.《“咚咚哐”划龙船》

（1）“活灵活现”与下列哪项中的词语意思相近？（　）

A. 栩栩如生

B. 五颜六色

C. 乘风破浪

（2）判断：“哗啦”“咚咚哐”都是拟声词。（　）

16.《天边的故事书》

（1）“捉迷藏”的“藏”字和下列哪个词语中的“藏”字读音相同？（　）

A. 西藏

B. 宝藏

C. 藏书

（2）“对，更像一个变幻无穷的大舞台”一句运用了什么修辞手法？（　）

A. 比喻

B. 拟人

C. 夸张

六 整本书阅读

《我和小姐姐克拉拉》

（1）《我和小姐姐克拉拉》这本书的作者是谁？（　）

A. 迪米特尔·茵可夫

B. 晨风

C. 刘喜成

（2）《我和小姐姐克拉拉》中的“我”是一个 ______。（　）

A. 男孩

B. 女孩

C. 看不出来

参考答案

一、经典诵读

1.《池上早夏（节选）》

（1）B

（2）错　解析：白居易是唐朝人。

2.《雪》

（1）A

（2）A

3.《小满》

（1）错　解析：欧阳修是宋朝人。

（2）C

4.《首夏山中行吟》

（1）对

（2）B

5.《三字经（节选）》

（1）对

（2）A

6.《声律启蒙（节选）》

（1）对

（2）C

二、汉字真奇妙

1.《四季歌（丁立美）》

（1）ABC　解析：从“春天到，柳绿花红鸟儿笑”“秋天到，秋高气爽大雁叫”“冬天到，雪花飘飘熊睡觉”几句可以得出答案。

（2）A

2.《四季歌（滕毓旭）》

（1）对

（2）B

3.《姓氏问答歌》

（1）A

（2）C

4.《水果问答》

（1）对

（2）C

5.《新书包》

（1）A

（2）B

6.《“河”“呵”“可”“何”》

（1）A

（2）B

7.《米字歌》

（1）B

（2）A

8.《寸字歌》

（1）A

（2）错　解析：“寸”字加“又”字变成“对”字。

9.《春天被卖光了》

（1）C

（2）A

10.《银色的雨》

（1）对

（2）A

11.《数角》

（1）B

（2）C

12.《甲》

（1）对

（2）A

三、童年的心愿

1.《感谢》

（1）C

（2）C

2.《黄河的话》

（1）C

（2）B

3.《热爱祖国》

（1）B

（2）B

4.《我多想》

（1）A

（2）对

5.《找梦》

（1）对

（2）A

6.《捉迷藏》

（1）A

（2）A

7.《上学一路歌》

（1）A

（2）ABC

8.《小草坪》

（1）C

（2）B

9.《树》

（1）对

（2）B

10.《窗上的图画》

（1）B

（2）A

11.《召唤》

（1）B

（2）A

12.《秋天的大树》

（1）C

（2）C

13.《童心的祝愿》

（1）对

（2）C

14.《拾螺壳》

（1）对

（2）B

15.《小白杨》

（1）对

（2）B

16.《花宴》

（1）A

（2）A　解析：读文章第 4 自然段“他都请我……如果有一座花园，他能给我开一桌百花宴哩！”可知，“花宴”就是用花做的宴席。

四、我们是朋友

1.《小鸭子回家》

（1）错　解析：“森”字的声母是“s”。

（2）A

2.《好朋友》

（1）对

（2）A

3.《小小公园》

（1）C

（2）A

4.《蜗牛和兔子》

（1）AB

（2）C

5.《新学校》

（1）B

（2）对

6.《分糖果》

（1）对

（2）C

7.《多少》

（1）A　解析：“欣喜”和“快乐”是一对近义词。

（2）对

8.《征友启事》

（1）A

（2）B

9.《小雪花》

（1）B

（2）对

10.《五星红旗》

（1）A

（2）B

五、万物皆有情

1.《月夜》

（1）A

（2）C

2.《霜月》

（1）对

（2）A

3.《心中的铃铛》

（1）对

（2）A

4.《这几步路好难走》

（1）B

（2）A

5.《端午节》

（1）A

（2）B

6.《端午节思屈原》

（1）对

（2）C

7.《下雨了》

（1）B

（2）AC

8.《弯弯的彩虹》

（1）C

（2）AC

9.《雷声和闪电》

（1）B

（2）A

10.《打雷歌》

（1）B

（2）B

11.《春雨》

（1）B

（2）A

12.《月亮》

（1）A

（2）对

13.《中秋月》

（1）C

（2）C

14.《勇敢的“胆小鬼”》

（1）B

（2）对

15.《“咚咚咂”划龙船》

（1）A

（2）对

16.《天边的故事书》

（1）C

（2）A

六、整本书阅读

《我和小姐姐克拉拉》

（1）A

（2）A

春天的歌 ❷

一 经典诵读

1.《相思》

（1）这首诗的作者是谁？（　）

A. 孟浩然

B. 王维

C. 李白

（2）“相思”的正确读音是什么？（　）

A. xiǎng sī

B. xiān sī

C. xiāng sī

2.《天涯》

（1）这首诗的作者李商隐是哪个朝代的人？（　）

A. 宋

B. 元

C. 唐

（2）“春日在天____”，横线上应该填什么字？（　）

A. 崖

B. 涯

C. 亚

3.《慈乌夜啼（节选）》

（1）这首诗的作者是谁？（　）

A. 孟浩然

B. 王维

C. 白居易

（2）“昼夜”中“昼”的意思是什么？（　）

A. 白天

B. 夜晚

C. 中午

4.《画眉鸟》

（1）这首诗的作者是宋朝的哪位诗人？（　）

A. 李清照

B. 欧阳修

C. 王安石

（2）判断：“啭”指的是鸟婉转地叫。（　）

5.《三字经（节选）》

（1）“善”的反义词是什么？（　）

A. 良

B. 恶

C. 丑

（2）“《孟子》者，七篇止，讲道

德，____。”横线上应该填什么？（　）

A. 爱父母

B. 爱祖国

C. 说仁义

6.《声律启蒙（节选）》

（1）《声律启蒙》的作者车万育是哪个朝代的人？（　）

A. 唐

B. 宋

C. 清

（2）“往”的反义词是什么？（　）

A. 来

B. 去

C. 走

二 趣味识字

1.《木字旁》

（1）你能把下面不带木字旁的字找出来吗？（　）

A. 柳

B. 李

C. 香

（2）“枝”字的正确读音是什么？（　）

A. zhī

B. zī

C. chī

2.《动物园》

（1）下面哪个字不是“高”的反义词？（　）

A. 低

B. 矮

C. 升

（2）判断：“园”字和“闹”字都是全包围结构。（　）

3.《反义词儿歌》

（1）你知道下面几组词语中，哪一组是反义词吗？（　）

A. 好像——仿佛

B. 光明——黑暗

C. 喜欢——喜爱

（2）“对”字在用音序查字法时应该查哪个字母？（　）

A. C

B. D

C. B

4.《我有一双勤劳的手》

（1）“扔”字的正确读音是什么？（　）

A. lēng

B. rēng

C. rēn

（2）“______水桶”，横线上应该填什么字？（ ）

A. 提

B. 拖

C. 扫

5.《笠翁对韵（节选）》

（1）下面哪个选项中的词不表示颜色？（ ）

A. 青

B. 浓

C. 绿

（2）“山茶对______”，横线上应该填什么？（ ）

A. 石菊

B. 青峰

C. 芙蓉

6.《运动会》

（1）“长”字是个多音字，下面哪一项不是它的读音？（ ）

A. cǎo

B. zhǎng

C. cháng

（2）“马到成功破纪录”中“破”字的偏旁是什么？（ ）

A. 石

B. 又

C. 皮

7.《三字经（节选）》

（1）判断：“披”和“彼”的读音相同。（ ）

（2）“头悬梁，锥刺股，彼不教，______。”横线处应该填什么？（ ）

A. 学且勤

B. 自勤苦

C. 且知勉

8.《红领巾》

（1）“互帮助，少不了”中“了”字的正确读音是什么？（ ）

A. le

B. liǎo

C. lǐao

（2）上课铃响了，小朋友们应该怎么做？（ ）

A. 即坐好

B. 认真听

C. 勤思考

9.《足字真有趣》

（1）“真”字的正确读音是什么？（ ）

A. zhí

B. zhēn

C. zhēng

（2）判断：“你要问它还干啥？”这句话要读出疑问的语气。（　）

10.《蒲公英》

（1）这首儿歌一共有几句话？（　）

A. 6

B. 1

C. 2

（2）“风儿吹，______哇______。”横线处应该填哪个字？（　）

A. 漂

B. 飘

C. 票

11.《植树谣》

（1）“栽”字的正确读音是什么？（　）

A. zǎi

B. zāi

C. cái

（2）“杨”“柳”“树”等带有木字旁的字大多与什么有关？（　）

A. 树

B. 动物

C. 草

12.《一只小小口》

（1）“吐”字在儿歌中的正确读音是什么？（　）

A. tù

B. tū

C. tǔ

（2）“叶”“古”“吞”“吐”“吵”“吃”这些字都带有哪个字？（　）

A. 十

B. 口

C. 日

三 夏天真美

1.《野池》

（1）“野池水满连秋堤”中的“满”字是什么结构？（　）

A. 左右结构

B. 上下结构

C. 半包围结构

（2）“蜻蜓______鱼______”，横线处分别填哪个词？（　）

A. 东西

B. 左右

C. 上下

2.《青蛙跳到荷叶上》

（1）“宽敞”的反义词是什么？（　）

A. 空旷

B. 狭窄

C. 明亮

（2）“通”字是什么结构？（　）

A. 半包围结构

B. 全包围结构

C. 左右结构

3.《采莲的小姑娘》

（1）“莲蓬”的正确读音是什么？（　）

A. lián peng

B. lián féng

C. lián fèng

（2）“蓝色的湖面，______来一只只月牙儿小船。”“阵阵湖风吹来，把她们的歌声______得很远。”横线处分别填写哪个字呢？（　）

A. 票

B. 漂

C. 飘

4.《下雨了吗》

（1）“青蛙”中“蛙”字的正确读音是什么？（　）

A. wá

B. tíng

C. wā

（2）老鼠和兔子分别在干什么？（　）

A. 喝水

B. 洗脸

C. 晾衣服

5.《下雨的时候》

（1）“翠绿”的正确读音是哪一项？（　）

A. cuì lù

B. chuì lǜ

C. cuì lǜ

（2）“______的闪电，______的雷声，______的雨幕。”横线处按顺序分别填什么词？（　）

A. 蒙蒙

B. 耀眼

C. 隆隆

6.《夏夜的田野》

（1）“那么，观众是谁呢______”横线处应该填哪个标点符号？（　）

A. ！

B. 。

C. ？

（2）“夏夜的田野里，蟋蟀在____，夜莺在____，青蛙在____。”横线处分别填什么内容？（　）

A. 歌唱

B. 朗诵

C. 弹琴

7.《夏夜》

（1）“蒲扇”中“扇”字的正确读音是什么？（　）

A. shān

B. sàn

C. shàn

（2）与“悄悄地”形式相同的词语是哪一项？（　）

A. 亮晶晶

B. 慢慢地

C. 笑哈哈

8.《夏天去野餐》

（1）“抚摸”的正确读音是哪一项？（　）

A. wǔ mō

B. fǔ mō

C. fǔ mò

（2）“______小路，______小风，______草地。”横线处分别填什么内容？（　）

A. 软软的

B. 弯弯的

C. 绿绿的

9.《山溪》

（1）“扎进深潭我笑哈哈”中“扎”字的正确读音是什么？（　）

A. zā

B. zhǎ

C. zhā

（2）判断：“打个盹”的意思是睡了一会儿。（　）

10.《波浪的话儿》

（1）“波”字的正确读音是什么？（　）

A. bē

B. bō

C. pō

（2）下面哪一个不是“波浪的话儿”？（　）

A. 哗哗哗

B. 快快快

C. 沙沙沙

11.《瀑布》

（1）“山崖”中“崖”字的正确读音是什么？（　）

A. yái

B. yá

C. iá

（2）“一______长长的白胡须”，横线处应该填什么字？（　）

A. 把

B. 块

C. 群

四 养成好习惯

1.《找铅笔》

（1）下面哪一组词和“碧蓝碧蓝”的形式相同？（ ）

A. 金光闪闪

B. 火红火红

C. 越长越大

（2）这支铅笔的样子是：_____的头儿，_____的身子，_____的细条儿。横线处分别填什么内容？（ ）

A. 红红

B. 碧蓝碧蓝

C. 金闪闪

2.《粗心的小画家》

（1）“嘴”字的正确读音是什么？（ ）

A. zhuǐ

B. zuǐ

C. tuǐ

（2）丁丁画的螃蟹是______，鸭子是______，小兔是______。横线处分别填什么内容？（ ）

A. 尖嘴巴

B. 四条腿

C. 圆耳朵

3.《时间是个调皮的小孩儿》

（1）“调皮”中“调”字的正确读音是什么？（ ）

A. diào

B. zhōu

C. tiáo

（2）“时间是个调皮的小孩儿”这句话，把______比作______。横线处分别填什么内容？（ ）

A. 时间

B. 调皮的小孩儿

C. 隐身衣

4.《公主的猫》

（1）下面哪项和“自言自语”的形式相同？（ ）

A. 高高兴兴

B. 学习学习

C. 各种各样

（2）“娜娜公主特别伤心”，句中的“伤心”可以替换为下面的哪个词？（ ）

A. 难过

B. 开心

C. 兴奋

5.《麻雀学艺》

（1）“喜______（què）”横线处应填哪个字？（　）

A. 雀

B. 莺

C. 鹊

（2）“小麻雀乐意地去了”中“乐意”的近义词是哪个？（　）

A. 自愿

B. 愿意

C. 难过

6.《做完一件，再做第二件》

（1）“一把米”中“把”字的正确读音是什么？（　）

A. bǎ

B. dǎ

C. pǎ

（2）“一____黑猫，一____小凳，一____斧头。”横线处依次应填什么词？（　）

A. 把

B. 只

C. 条

7.《下巴上的洞洞》

（1）“洞”字的正确读音是什么？（　）

A. bòng

B. dòng

C. dèng

（2）“摸”“撒”这两个字跟什么动作有关，所以带有提手旁？（　）

A. 手

B. 胳膊

C. 脚

8.《只听半句》

（1）判断：文中的他总是说：“知道了，知道了。”是因为他什么都知道。（　）

（2）园丁告诉他：“这椅子……”园丁没说完的话是什么？（　）

A. 刚刷了油漆，不能坐。

B. 坏了，不能坐。

C. 只许坐，不许躺。

9.《沪杭车中》

（1）“分明”的正确读音是什么？（　）

A. fèn míng

B. fēn mín

C. fēn míng

（2）与“红叶纷纷”形式相同的是哪一项？（　）

A. 落叶飘飘

B. 健健康康

C. 火红火红

五 故事小剧场

1.《犀牛不生气了》

（1）用音序查字法查“虎”字时，应该查哪个字母？（ ）

A. H

B. F

C. L

（2）帮助犀牛的动物医生是谁？（ ）

A. 扁虱鸟，也叫犀牛鸟

B. 老虎

C. 鳄鱼

2.《音乐会开始了》

（1）“乐”是多音字，“音乐”和“快乐”中“乐”字的读音分别是什么？（ ）

A. yuè

B. lè

C. rè

（2）判断：雄蚊子的“耳朵”长在肚皮上，所以它要挺起肚皮才能听见声音。（ ）

3.《三只风筝飞过来》

（1）“风筝”的正确读音是什么？（ ）

A. fēng zheng

B. fen zheng

C. fēng zhen

（2）小狗认为不能去看小松鼠的理由是什么？（ ）

A. 松鼠家很小。

B. 松鼠家太高。

C. 松鼠家很脏。

4.《公鸡学叫》

（1）判断：“疼”是半包围结构，病字旁。（ ）

（2）文中“把人家的耳朵都震聋了”用下面哪个词语来形容比较恰当？（ ）

A. 震天动地

B. 声如洪钟

C. 震耳欲聋

5.《夜晚，在森林里》

（1）“我曾经跟别人说，猫头鹰一家懒惰。”中“懒惰”的反义词是什么？（ ）

A. 骄傲

B. 好像

C. 勤劳

（2）猫头鹰和啄木鸟都是森林里的______。横线处应该填什么内容？（　）

A. 医生

B. 歌唱家

C. 舞蹈家

6.《前进，前进，木头兵》

（1）“绿草地上，____着一队神气的木头兵。”横线处应该填哪个字？（　）

A. 战

B. 站

C. 沾

（2）______的军刀，______的木头房间，______的棋子。横线处依次填什么内容？（　）

A. 温暖舒适

B. 闪闪发亮

C. 任人摆布

7.《珍宝》

（1）“白头翁在边上焦急地询问”中的“焦急”可以用哪个词代替？（　）

A. 急忙

B. 着急

C. 急迫

（2）啄木鸟有一张很厉害的尖嘴，它用嘴干什么？（　）

A. 找被藏起来的珍宝。

B. 唱好听的歌。

C. 捉树干里的虫子。

8.《小喜鹊的花环》

（1）小喜鹊在花园里找到______朵不同颜色的小花，编成了一个漂亮的花环。（　）

A. 三

B. 五

C. 七

（2）小喜鹊把自己的花环分给了谁？（　）

A. 小麻雀

B. 小青蛙

C. 小骆驼

六 中国精神

1.《我们从小热爱你》

（1）“祖国”的正确读音是什么？（　）

A. zhǔ guó

B. zǔ guó

C. zhū guó

（2）“五星红旗在____扬。”横线处应该填哪个字？（　）

A. 飘

B. 漂

C. 瓢

2.《祖国妈妈真漂亮》

（1）“披”字的正确读音是什么？（　）

A. bī

B. dī

C. pī

（2）“祖国妈妈真漂亮”中的“漂亮”可以用哪个词代替？（　）

A. 可爱

B. 美丽

C. 活泼

3.《大家》

（1）“东”的反义词是什么？（　）

A. 南

B. 西

C. 北

（2）这首儿歌一共有几句话？（　）

A. 4

B. 2

C. 3

4.《最美要数 12 朵花》

（1）“结出果儿个个大”中“结”字的正确读音是什么？（　）

A. jiē

B. jié

C. jiě

（2）“美”字是什么结构？（　）

A. 独体结构

B. 上下结构

C. 特殊结构

七 整本书阅读

《文具的家》

（1）《文具的家》这本书的作者是谁？（　）

A. 圣野

B. 张秋生

C. 叶圣陶

（2）我能从《文具的家》这本书里读到哪些故事？（　）

A.《太阳公公，你早！》

B.《寻找》

C.《雪白的书》

参考答案

一、经典诵读

1.《相思》

（1）B

（2）C

2.《天涯》

（1）C

（2）B

3.《慈乌夜啼（节选）》

（1）C

（2）A

4.《画眉鸟》

（1）B

（2）对

5.《三字经（节选）》

（1）B

（2）C

6.《声律启蒙（节选）》

（1）C

（2）A

二、趣味识字

1.《木字旁》

（1）C

（2）A

2.《动物园》

（1）C

（2）错　解析：“园”字是全包围结构；“闹”字是半包围结构。

3.《反义词儿歌》

（1）B

（2）B

4.《我有一双勤劳的手》

（1）B

（2）A

5.《笠翁对韵（节选）》

（1）B

（2）A

6.《运动会》

（1）A

（2）A

7.《三字经（节选）》

（1）错　解析：“披”的读音是“pī”；“彼”的读音是“bǐ”。

（2）B

8.《红领巾》

（1）B

（2）ABC

9.《足字真有趣》

（1）B

（2）对

10.《蒲公英》

（1）C

（2）B

11.《植树谣》

（1）B

（2）A

12.《一只小小口》

（1）C

（2）B

三、夏天真美

1.《野池》

（1）A

（2）CA

2.《青蛙跳到荷叶上》

（1）B

（2）A

3.《采莲的小姑娘》

（1）A

（2）BC

4.《下雨了吗》

（1）C

（2）AB

5.《下雨的时候》

（1）C

（2）BCA

6.《夏夜的田野》

（1）C

（2）CAB

7.《夏夜》

（1）C

（2）B

8.《夏天去野餐》

（1）B

（2）BAC

9.《山溪》

（1）C

（2）对

10.《波浪的话儿》

（1）B

（2）B

11.《瀑布》

（1）B

（2）A

四、养成好习惯

1.《找铅笔》

（1）B

（2）CBA

2.《粗心的小画家》

（1）B

（2）BAC

3.《时间是个调皮的小孩儿》

（1）C

（2）AB

4.《公主的猫》

（1）C

（2）A

5.《麻雀学艺》

（1）C

（2）B

6.《做完一件，再做第二件》

（1）A

（2）BCA

7.《下巴上的洞洞》

（1）B

（2）A

8.《只听半句》

（1）错　解析：因为他只听半句，就以为自己知道后面的内容了。

（2）A

9.《沪杭车中》

（1）C

（2）A

五、故事小剧场

1.《犀牛不生气了》

（1）A

（2）A

2.《音乐会开始了》

（1）AB

（2）错　解析：根据“我的‘耳朵’就是触角上的毛，如果我把触角放下，那就听不清啦”做出判断。

3.《三只风筝飞过来》

（1）A

（2）B

4.《公鸡学叫》

（1）对

（2）C

5.《夜晚，在森林里》

（1）C

（2）A

6.《前进，前进，木头兵》

（1）B

（2）BAC

7.《珍宝》

（1）B

（2）C

8.《小喜鹊的花环》

（1）C

（2）ABC

六、中国精神

1.《我们从小热爱你》

（1）B

（2）A

2.《祖国妈妈真漂亮》

（1）C

（2）B

3.《大家》

（1）B

（2）C

4.《最美要数 12 朵花》

（1）A

（2）B

七、整本书阅读

《文具的家》

（1）A

（2）ABC